新潮文庫

すいかの匂い

江國香織著

目次

すいかの匂《にお》い

烏山《からすやま》に、調布に、そして清水に

すいかの匂《にお》い

すいかを食べると思い出すことがある。九歳の夏のことだ。母の出産のあいだ、私は夏休みを叔母の家にあずけられてすごした。両親と離れるのははじめてのことだった。叔母の住む羽村《はむら》町というのが東京都に属し、都心から日帰りで遊びに行ける場所だ、と知ったのは大人になってからのことで、何時間も電車に乗り、川が流れ、つり橋を渡って行く叔母の家は、当時の私にとって、はるか遠い田舎だった。

いい子にしていると約束し、赤ちゃんが生まれたら必ず迎えに来るのねと何度も確認し、赤ちゃんは妹にしてほしいと注文までして意気揚々とのりこんだ叔母の家だったが、私はたちまちホームシックにかかり、むっつりと黙りこんでは大人たちを困らせた。

　叔母夫婦は若く、やさしかった。農業の傍ら、草木染めの小物を作って土産物屋に置いたりしていた。家の実権はおばあさんが握っていて、彼女は別に意地悪でもなさそうだったが、ずけずけした口調で物を言うのでこわかった。ひどく指の太い、固くふくれあがったような手をしていた。叔母夫婦には子供がなかったので、家の中の空気がモノトーンにおちついていて、それがこの家を居心地の悪いものにしていた。

　ふかふかして厚ぼったく、のりの効いた白いシーツがかけられた大きな布団《ふとん》の中で、私は毎晩かならず泣いた。足元でせんぷう機がまわっていて、寝室は旅館のような匂いがした。木目の揃《そろ》った天井と、和紙を貼《は》ったぼんぼりみたいなまるい電気の笠《かさ》とを見つめながら、両親や、狭くてごちゃごちゃした我家のことを思い出しては絶望的な気持ちになった。涙は目じりから枕《まくら》にまっすぐに落ち、ときどき耳の中に入って全身に鳥肌をたてたり、逆流して鼻から喉《のど》にまわったりした。

　昼間はたいてい台所ですごした。台所は、裏庭に面した大きな窓がいつもあいていて、あかるくて好きな場所だった。裏庭には井戸があり、薬味になる草がいろいろ生えていた。一度、大葉をとってきなさいとおばあさんに言われたことがある。庭にでると、美しい緑の大葉がたくさんあったが、私は手をのばし、ふいに別の草をつんだ。駆けもどって無言でさしだすと、おばあさんはあきれたように大声をだし、都会の子はこれだから、と言って自分でとりに行った。彼女がかがみこんで大葉をつむ後姿を、私は台所の窓からじっとみていた。

いちばんせつないのは夕方だった。帰りたい気持ちがからだの奥からつきあげてきて、いてもたってもいられなくなる。私はからだの小さい子供だったが、まるで自分のからだが飼いならされていない猫かなにかになったみたいに、自分で自分をもてあました。布団の中で泣くときの方が、あきらめの気持ちでいるぶんだけ楽だった。

夕方になると、私はきまって裏木戸の横に立った。そこには大きな枇杷《びわ》の木があり、細い砂利道が遠くまで続いている。この道を通ってやって来た、というだけの理由で、私はこの道が家にもどる道だと決めていた。枇杷の木の下に立って道の先をにらみ、どうしようもない気持ちで夜がくるのを待つ。夜がきてくれさえしたら、とりあえず一日のケリはつくのだ。

ここでは、時間があまりにもゆっくりと経過した。叔母夫婦もおばあさんもいい人たちだが、そんなことは何の役にも立たないのだ。この家には騒音がなく、ハプニングというものがなく、食卓にグラタンやハンバーグがのることもなかった。中途半端《はんぱ》な色の、低い空をにらみながら、私は戦っているみたいな気持ちで夜を待った。胸の中がざわざわと不穏に波立ち、一歩でも動いたらおしまいだ、という気がした。私は木にもたれて目をつぶり、なつかしいアパートのことを考えた。勉強机やベッド、ベッドの上のスヌーピー、壁に貼ってある時間割り表やちびくろさんぼの絵のついた鉛筆立てを、それからそこに立ててある鉛筆の一本一本を、私はていねいに思い出す。雨の日に母がかけるアイロン、蒸気の匂い。うっとりと息をすいこんで耳をすます。雨の音、その向うに大通りの車の音、シュッシュッと小気味いい霧吹きの音——。しかし、それらはすぐに遠のき、弱い風の音と蟬《せみ》の声だけがきまって残るのだ。

逃げよう、と決心したのも、そんな夕方だった。逃げよう。そう決めた瞬間に、私は台所にかけこんでいた。

「おなかすいたの？」

叔母がきき、私は首をふった。

「じゃ、どうしたの。退屈しちゃった？」

私はもう一度首をふる。

「玄関にお客さん」

今にも気が遠くなりそうにドキドキしながら小声で言うと、叔母は、あら、ありがとう、と言って小走りにでて行った。

茶だんすの、いちばん左のひきだしにお金が入っているということを、私はちゃんと知っていた。御用ききに払うためのお金だ。私は、せきたてられるようにひきだしをあけて探り、財布をみつけるとそれをひっつかんで駆けだした。

裏木戸をぬけて砂利道をまっすぐに走る。はじめての盗みとはじめての家出をいっぺんにして、私は興奮しきって夢中で走った。もうあとへはひけない、追いつめられた気持ちは不思議な充足感を伴い、私はからだのすみずみにまでエネルギーが満ちてくるのを感じた。

十分もすればつり橋にでて、三十分も歩けば駅につくはずだった。少しずつ、空気がうす墨色に濡《ぬ》れはじめている。私は、自分の方向オンチぶりと計画性のなさに苛立《いらだ》ちながら、それでもひたすら歩き続けた。そして、川の向うに小さなあかりが見えたのは、もうすっかり夜になってからだった。

その家は小さな家で、まるで入っておいでといっているみたいに、やわらかいあかりがついていた。私は縁側に両ひざをついてあがりこみ、靴が床を汚さないように両足をぐっとおしりの方へもちあげて、障子の向うをうかがった。六畳ほどのその部屋には誰もいなかったが、奥の部屋から子供の声がした。男の子が二人いるらしい。私は、よその家を覗《のぞ》くという行為のあまりのスリルに、心臓が口からとびだしそうだった。そして、よその家のあかりや声は、私をものすごく淋《さび》しくさせた。

「いいよ、お前の勝ちだよ」

男の子の一人が言い、もう一人がうふふ、と笑ったとき、背中からヒステリックな声がした。

「何してるのっ」

心臓をひっぱたかれたみたいだった。逃げたくても動けない。私は全身が硬直した。そこには、髪をうしろで束ねたおばさんが、大きなすいかを抱えて立っていた。目が、怒りで青白く光っている。みなりは粗末だが、整った顔立ちをしていた。

「お母さん？　帰ったの？」

「でて来なくていいっ」

おばさんがどなったのと、私がふり返ったのと、ぴったり同時だった。

瞬間、私は息がとまった（このときの光景は、生涯、私の頭の中にくりかえしフラッシュバックされることになる）。男の子二人は、上半身を共有していた。二人は顔つきがそっくりで、シャツを着ていたが、肩から腰までがくっついていて、胴体のちょうどまんなかあたり、シャツのボタンをはずしたすきまから、二人のうちどちらのものともつかない細くいびつな手がぶらさがっていた。腰から下はそれぞれ独立していて、似たようなグレーのズボンをはいている。二人とも、私を見るとおびえきった表情をうかべた。はてしなくながい時間、誰も口をきかなかった。背中にぴりぴりと感じていた鬼気せまる空気が、どんよりといやな感じに濁った。

「さ、とりあえずおあがりなさい」

おばさんの、さっきと全くちがう声に、私は本能的に身がまえた。ものすごい重圧とともに、嵐《あらし》のような危機感がおしよせる。

「みんなで夕飯にしましょう」

おばさんはにこやかに言って、家じゅうの雨戸をたてきってしまった。裸電球のあかりはまるで蠟燭《ろうそく》のように黄色っぽく、停電になった台風の夜みたいだった。小さなちゃぶ台には、玉ねぎのみそしると玉子焼き、茶色いごはんとおとうふがのっかっている。

「どこから来たの」

おばさんがきく。

「羽村町」

「ずいぶん歩いたんだね」

男の子の一人が言い、私は、自分が叔母さんの家に預けられていること、うちに帰りたくてでてきたのだということを話した。

「そう」

おばさんは不気味なほどやさしく笑った。

「心配しなくてもいいわ。あしたになったら羽村まで送ってあげるから」

私は、しかし警戒心をゆるめられなかった。

片方の子はよく食べたが、もう片方はまったく食べないまま、食事は終わった。男の子たちは食器を手際《てぎわ》よく台所へ運び、おばさんはざくざくと音をたてて、食後のすいかを切った。

「みのるはこのごろすいかしか食べないのね」

「夏は食欲がないんだ」

ちっとも食事をしなかった方の子が言う。

「それに、ひろしが僕のぶんも食べてくれるからいいんだ。どうせおんなじ栄養になるんだからね」

ひろしと呼ばれた方の子は、仏頂面《ぶっちょうづら》のまますいかを一切れとってかぶりついた。

「あなたもさっきちっとも食べなかったわね。すいか、好きでしょう？」

おばさんが、なめるような視線を送りながら言った。なんだかへびみたいだ、と思った。

畳に置かれた大きなお盆には、すいかが山のようにならんでいる。一つとってかぶりつくと、だらだらとしるがたれた。口いっぱいに甘い冷気がひろがる。

「食べたら向うの部屋で遊ぶといいわ」

おだやかな笑顔のまま、おばさんは言った。

みのるくんが二切れ目のすいかに手をのばし、私はお盆をみてぎょっとした。まっ黒な蟻《あり》がたくさん、すいかにたかっている。お盆にたまったしるにも、そばに置かれた包丁にも、蟻はぞろぞろ行列していた。雨戸がたてきってあるのにどこから入ったんだろう。そう思ったら、心の底からぞっとした。みのるくんは少しも頓着《とんちゃく》せず、蟻がたかったままのすいかをかじった。蟻は、みずみずしく赤い大地の上を右往左往している。

「蟻はね、すっぱいんだ、ぷちっとつぶれると」

私の視線に気がついてみのるくんが言った。

奥の部屋にはたくさんの本があった。学校の図書室のようだと思った。

「この子たちはね、学校になんて行ってないけど、学校に行ってる子よりずっと物《も》識《し》りよ」

おばさんが言い、その言い方はどこか挑戦的だった。私たちはそこで、しばらく本を読んですごした。おそろしく暑い家で、せんぷう機がなまぬるい空気をかろうじてかきまわしてはいたが、気安め以上のものではなかった。

この家にはお風呂《ふろ》がなく、おばさんが熱いタオルをしぼって身体《からだ》をふいてくれた。湯気のでているタオルは、汗ばんだ肌をさっぱりと清潔にした。おばさんは私のからだをこすりながら、学校は好きかとか、友だちはたくさんいるかとか、いろんなことを質問し続けている。私は、ほんとは学校なんてちっとも好きじゃなかったけれど、学校も先生も、友だちも勉強も大好きで、早くみんなに会いたい、という風に答えた。そう答えないと帰れないような気がしたのだ。

「はい、できあがり。服を着なさい」

おばさんは腕で汗をぬぐうと、女の子はやわらかいのね、と小さな声で言った。

せんぷう機に向ってぺたんとすわり、ひろしくんとみのるくんは一緒になって「あーっ」と声をだしていた。おそろいのパジャマを着ている。声はせんぷう機にまきこまれ、細かくふるえて機械の声のようになる。

「やってみる？」

私はうなずいて腰をおろし、こわごわ声をだした。せんぷう機は危いので顔を近づけたり指を入れたりしちゃいけない、といいきかされていたのだ。ぼうぼうとふく風に向かって声をだすのは思いのほか苦しく、思いのほか楽しかった。あーっ。あーっ。ぐあああ。

「さわってみてもいい？」

唐突に、みのるくんが言った。

「え？」

「きっともう会えないから」

みのるくんは真剣な顔で言って、私のほっぺたにそっと触れた。細くてつめたい指だった。

「よせよ」

ひろしくんが咎《とが》めたが、みのるくんは手をひっこめなかった。ゆっくりとまぶたに触れる。

「よせったら」

私は何だか混乱した。ひろしくんになでられているようでもあったからだ。

「もともとひろしのからだなんだ」

くったくなく笑ってみのるくんが言い、ひろしくんはいらだたしげに舌打ちをした。

「下らないこと言うなよ」

「足だって」

みのるくんはパジャマをめくりあげて、白い、病的に細い足をだした。

「足だってひろしの方がまっすぐだし、ここなんて、僕のはばかみたいにふにゃふにゃだ」

みのるくんは淋しそうに笑うと、

「ひろしのはね、時々こんなに大きくなるんだ」

と言って両手で輪っかをつくってみせ、誇らしげに目をかがやかせた。

「よせってば！」

顔をゆがめてひろしくんがどなった。

「もういいよ」

部屋中が、混沌《こんとん》と重たい空気に包まれた。

からだをふきおえたおばさんが入ってきて、私はすくわれた気持ちになった。おばさんは、男の子たちに強引にミルクセーキを飲ませ、栄養がいるのよ、と言った。

「いつか手術をする日のためにね」

「手術？」

私がきくと、おばさんは小さな声で、

「そう、いつかね」

とこたえた。

「いいよ、このままで」

ひろしくんが怒ったように言い、みのるくんは黙っている。

「でも、人間はみんな一人一人で生きていくべきだわ」

息子たちをいとおしそうにみつめながら、ゆっくりとおばさんが言った。

私たちはその夜、六畳間に布団《ふとん》を二組敷いて、四人でそこに眠った。家族みたいだった。こわいほど静かでむし暑く、それでも不思議とぐっすり眠れた。

雨戸をたたく音と、私の名前を呼ぶ声とで目をさますと、おばさんもみのるくんもひろしくんも、みんないなくなっていた。雨戸をあけるとぴかぴかの上天気で、おまわりさんと、叔母夫婦とおばあさんが立っている。私をみると、叔母は声をだして泣いた。

朝早く、女の人が交番に来て、この家から女の子の声がすると届けたそうだった。きのうは女の人が住んでいた、と言うと、ルンペンだろう、とおまわりさんは言った。ここは、もうずいぶんながいこと空き家だったそうである。

母が弟を産んだのは、それからすぐのことだった。あの夜のことは、叔母にも両親にも話していない。

蕗《ふき》子《こ》さん

蕗子《ふきこ》さんからきいた話のなかで、いちばん印象に残っているのはカメの話だ。かなしい話だったが子供心を揺さぶるものがあり、くり返しせがんできかせてもらった。話の前半は、いつもほとんどきいていない。いちばんかなしい場面にむかって、ひたすら息をつめ、ぞくぞくしながら、くるぞ、くるぞ、と待ちかまえているのだ。蕗子さんは淡々と話す人だったが、この話のときにはそれなりに沈鬱《ちんうつ》な風情《ふぜい》になり、声にもかすかなかなしみが籠《こも》った。そういう蕗子さんをみながら、その場面への期待と緊張で汗ばんだ手のひらを、私はスカートにこすりつけた。そして、話がいざ山場（それは桃太郎の誕生のシーンとよく似ていた）にさしかかると、私はきまってけらけら笑いだすのだった。

それはこんな話だった。

蕗子さんはカメを飼っていて、なんとかして裸のカメ、すなわち甲羅からでたときのカメの姿を見てみたいと思っていた。昼も夜も観察したが、カメはいっかな甲羅からでようとしない。蕗子さんは待ちきれなくなって、ちょっとだけのぞいてみることにした。カメをくるっとひっくり返し、お腹《なか》側の甲羅に包丁ですーっと切れ目をいれる。もちろん、カメ本体を傷つけないように慎重に――。カメは、あっけなく死んでしまった。

「私の二十六年間の人生で」

と、蕗子さんは言った。

「あんなに愕然《がくぜん》としたことはなかったわ」

蕗子さん同様、私もそれまでカメの構造――カメは甲羅の中で暮しているわけではなく、肉体が甲羅なのだという重大な事実――を知らなかったので、この話にはやっぱり愕然とした。おまけに蕗子さんの訥々《とつとつ》とした口調は妙にリアルで、私は今でも、まるで自分が経験した様に鮮明に、その情景を思い描ける。つめたく濡《ぬ》れた甲羅、暗緑色のひんやりした手足、厚ぼったいわりになめらかな皮膚、無表情な瞳《ひとみ》。じゃこじゃこと腹を切り裂く包丁の感触まで手に残っているような気がする。そして、その感触は、私が生まれてはじめて味わった「とりかえしのつかないこと」の苦さだったと思う。

私が小学校に入学してすぐに父が死に、母は以前つとめていたミシン会社に再就職する傍ら、下宿屋を始めることにした。下宿屋といっても平屋だての我が家にプライバシーなど存在し得るはずもなく、私は下宿人を遊び相手くらいに考えて、年中つきまとっていた。蕗子さんは、うちの最初の（そして最後の）下宿人である。母は、蕗子さんがいなくなったあと、下宿屋をすっぱりやめてしまったのだ。

蕗子さんは不思議なひとだった。男の子のように短い髪をして、お化粧っけのない顔はどちらかというと色が黒く、しかしそれは、健康的な印象では決してなかった。表情が変化しにくい上、ぼそぼそと話すせいかもしれないが、蕗子さんには、どこか闇《やみ》の匂《にお》いがした。身体《からだ》の中に深い井戸をもっているような、夜の静寂を抱いているような。得体の知れない野生動物のように注意深く、およそいきいきしたところのない人だったが、ごくたまに、少年のようにあっさりとした顔で笑うことがあり、そういうときの蕗子さんはひどく子供っぽく、むしろ粗野な生命力に満ちていた。留年に留年を重ね、二十六歳でまだ大学生だった。私の記憶では、その頃蕗子さんは全く学校に行っていない。大学生はヒマでいいね、と口ぐせのように言う私に、蕗子さんはめんどくさそうに鼻をならして、くだらないよ、と言うのだった。ちょうど学園紛争のさなかだったが、彼女はそういう運動に、まるで関心がないようだった。

母が働いていたので、私は、生活をおもに蕗子さんと共有していた。私の食事は母が用意しておいてくれたが、時間をあわせ、蕗子さんと一緒に食べた。蕗子さんは大人のくせに偏食がひどく、夏はそうめんばかり食べ、冬は中華まんじゅうばかり食べていた。

「いちばん好きな食べ物ってなに」

私が訊《き》くと、

「ちょろぎ」
と蕗子さんは即答した。私はちょろぎというものを知らなかったが、その言葉のとぼけた響きがおもしろく、そのあとしばらく、蕗子さんのことをちょろぎと呼んでいた。

内弁慶、というのか、私は、母や蕗子さんやとなりのおばさんや、そういう身のまわりの大人に対しては生意気な口をきいたが、学校の友達や先生、近所の腕白坊《ぼう》主《ず》たちに対しては、からきし度胸のない子供だった。集団が苦手でもあり、学校を心底嫌悪《けんお》していたが、登校拒否をするとか、友達をつくらずに孤立するとか、そういうエネルギーのある子供でもなかったので、学校ではそれでもそれなりに上手《うま》くやっていた。

学校の外ではときどきいじめられた。近所に住む、少し年上の男の子たちからだ。上履き入れや体操着袋をぱっととって逃げるとか、編んだ髪をひっぱるとか、ぱちんこで小石をぶつけるとか、その程度のことではあったが、私には苦痛だった。（とられた体操着袋を水たまりの泥の中にみつけたときの哀《かな》しさと屈辱感、そして、一人だけ汚れた体操着をきて受ける体育の授業のいたたまれなさといったらない。）そんな風だったので、私は学校がおわるととんで帰り、蕗子さんの部屋に遊びにいった。蕗子さんも、友達がいないようだった。

夏休み、私が家の前でしゃぼん玉をつくって遊んでいると、腕白坊主の一人がにやにやしながら近づいてきた。

「ちょっとこいよ」

いや、と短くこたえる。

「いいからこいってば。ちょっとだから」

命令というよりは懇願にちかい口調で、その子は言った。いじめっ子仲間ではいちばん年少の、小柄な男の子だ。

「いや」

「こいって言ってるだろっ」

彼は乱暴に私の腕をつかんでひっぱった。持っていたコップから石鹸水《せっけんすい》がこぼれ、私の腕をぬるぬると濡らす。つーっと肘《ひじ》までこぼれたしずくが、つめたくて不愉快だった。腕の内側は、心の中同様他人にふみこまれたくない場所なのだ。

私は眉間《みけん》に皺《しわ》をよせ、悲壮な気持ちで男の子にひっぱられて歩いた。手をふりほどいて逃げることも可能だったのに、私はそうしなかった。いつもそうなのだ。いったん観念すると、最後までされるままになっている。奇妙なことなのだが、それは彼らに対するサービス精神であった。

つれていかれたのは、いちばん年上の（たしか五年生だったと思う）、章吾《しょうご》という男の子の家の庭だった。いじめっ子たちは五、六人、勢揃《せいぞろ》いして待ちかまえていた。章吾はにやにやと愛想笑いをうかべて近よってきた。

「なんにもしないよ」

おいで、と言って、彼は私の手をそっとひっぱった。かたまって立っていた男の子たちが左右にわかれ、まんなかに新聞紙がひろげられている。そばには掘りかえされた土がこんもりと小山になり、四隅に石をのせておさえてある新聞紙を指さして、章吾はやさしく言った。

「あの上を歩いてごらん」

何と稚拙なおとし穴だろう。私は半ばあきれながら、黙って章吾の顔を見上げた。背は高いが、どちらかといえば痩《や》せて、色も白く、強そうなガキ大将ではない。

「歩けよっ」

まわりの誰かが言ったが、章吾はふりむいて子分を制し、私の方にむきなおると、へらへらした笑いを辛抱強く顔に貼《は》りつけたまま、歩いてごらん、ともう一度言った。

私はゆっくり、新聞紙に向かって歩きだす。一歩ずつ、しずかに。みんなの視線が私にあつまり、背中に、ひときわ強い視線を感じた。今ふりむいたら、章吾はきっと、もうへらへら笑ってはいないのだろう、と思った。

一瞬のできごとだった。足の下で、新聞紙はばさばさと乾いた音をたて、私は深さ三十センチほどの小さな穴に、両足をそろえて立っていた。御丁寧に、穴には水がはってある。男の子たちはしらじらしいほどの大声で笑った。ばーか、ひっかかってやんの。こいつ、ぐずだよな。膝《ひざ》から下を水につけたまま、私は下を向いて立っていた。くつ下が、濁った泥水の中で鮮やかに白い。つめたさが私に現実を甦えらせ、おとし穴とわかっていておちたくせに、ふいに涙があふれる。ぐしゃぐしゃと泣きだした私を見ると、男の子たちは歓声をあげ、走って逃げて行った。

庭は、よく手入れされていて美しかった。芝生の上を、しじみ蝶《ちょう》がすべるみたいにとび、晴れて、静かだった。この家の大人にみつからないといいな、と思った。大人は、どんな場合も事をややこしくするだけだ。足がぐっしょりと重く、土に手をついてはいあがる。急に泣きやむのもきまりが悪くて、私は弱々しくしゃくりあげながら歩いた。歩くたびに、靴の中で水がくちゅくちゅ音をたてる。ブロック塀にそって玄関にまわると、反対側のブロック塀の前に、男の子たちが息をひそめて様子をうかがっているのが見えた。私は、彼らが決して楽しい気持ちでいないことを知っていた。それもせつなかった。お互いのシンパシィ、というか、重たくて滑《こっ》稽《けい》な気配、というか。私はひときわ悲劇的な嗚咽《おえつ》をしてみせてやったが、それは何ら事態を好転させなかった。

うちに帰ると足はほとんど乾いていて、蕗子さんにみせびらかそうと思っていた私は大いにがっかりした。しかしくつ下は泥を吸って汚れており、顔も涙と泥でぐしゃぐしゃだったので(私は、玄関に入ってすぐ左の、お風呂場《ふろば》の鏡でそれを確認した)、わーっと泣きながら蕗子さんの部屋にとびこんだ。

襖《ふすま》をあけると、蕗子さんは着替えの最中だった。外出から帰ったところらしい。かがんで、ベージュのたっぷりしたズボンに片足を入れた姿勢のまま、驚いて私を見る。私がぎょっとしたのは蕗子さんが着替えていたからではない。彼女の下着にぎょっとしたのだ。蕗子さんは、黒い、総レースのブラジャーとショーツをつけていた。外国映画にでてくるような、ものすごく女っぽい、いかにも高価そうな下着だ。それは、あまりにも蕗子さんにそぐわない代物《しろもの》に思えたが、一方では彼女が思いのほか豊かな胸をしており、なめらかにくびれたウエストと、ゆったりとまるい腰をもっていることも否定できなかった。

「どうしたの」

Tシャツにズボン、といういつもの格好になり、蕗子さんはぼそっと訊く。私は、この人の、子供に対する口調とは思えないなげやりな口調が好きだったし、普段ならその口調に仲間意識を持ち、さっきの事件を微に入り細をうがって報告したところだが、このときは、彼女のそっけない口調があからさまな拒絶のように感じられた。

「おとし穴に落ちたの」

仕方なくそれだけ言うと、でももう大丈夫、とつけたして襖を閉めた。

午後、私と蕗子さんは台所で一緒にアイスクリームを食べた。紙のカップに入った小さなバニラアイスを、木べらのようなスプーンですくっては口に運ぶ。ひんやりとうす暗く、ぬかみその様な匂いのする台所だった。

「インコってね」

唐突に、蕗子さんが言った。

「インコって、いったん逃げたら戻ってこないんだって。逃げだした者同士で、共同体をつくって暮らしてるんだって」

「キョードータイ？」

私は、アイスクリームごと、へらをじゅっと吸って噛《か》みしめた。バニラと木の味がまざる。

「ん。村みたいなもの」

東京にも、インコの集落がたくさんひそんでるんだって、と蕗子さんは言った。

「人間にも、そういう場所があるといいのにね」

逃げたインコの村。私は、巣の中の蜜蜂《みつばち》よろしく、青や緑の小鳥がひしめきあっているところを想像した。

「おとし穴掘ろうか」

「え?」

インコの村からずいぶん急に話がとぶな、と思って訊き返すと、蕗子さんはめずらしく目をかがやかせて、小羊の逆襲の巻、と言う。小羊って私のことかなぁ、などと悠長に考えているうちに、蕗子さんはすくっと立ちあがり、道具買ってくる、と言っててて行ってしまった。

蕗子さんが買ってきたのはスコップとござ、それからロープと細い釘《くぎ》で、作業は翌朝からほんとうに始められた。場所は小学校の裏庭、焼却炉のすぐわきだ。宿直の用務員さんにみつからないように、早朝五時から七時を作業時間にした。作業といっても実際に穴を掘るのは蕗子さん一人で、私は見張りの役だった。焼却炉のそばに目をこらして立ち、渡り廊下から石炭置き場までときどき歩きまわっては、人の気配がないことを確かめる。早朝の、うす青い空気の中にぽつんと立っていると、学校がいつもとは全然ちがう表情をしていることに驚いた。それは、ただののっぺりした建て物なのだ。平和でまがぬけている。小鳥の声がはじけるように耳を濡らし、私は、まだ誰も吸っていない新しい空気を吸った。授業のある日、裏庭にはいつでも給食の匂《にお》いが充満していて、私はその匂いが大嫌いだったが、その給食室さえ、明りが消えて清潔にみえる。

蕗子さんは本気で穴を掘っていた。私が落ちたようなちゃちな穴ではない。直径二メートルはありそうな、大きくて深い穴だ。ざくざくと音をたて、蕗子さんは穴を掘る。一心に掘る。まだ掘るの、と訊くと黙ってうなずき、どこまで掘るの、と訊くと手は休めずに、もっとずっと深く、とこたえた。一日分の作業がおわると、私たちは下駄箱のところからすのこをひっぱってきて穴に蓋《ふた》をし、その上から薄く土をかぶせた。もちろん、掘りおこした土は、焼却炉の裏に周到に隠した。三日目から、蕗子さんは腰にロープをしばりつけ、反対側を焼却炉の脚にしばりつけて掘った。そうしないとあがって来られないくらい、穴は深くなっていたのだ。

作業からの帰り道、蕗子さんはいつも機嫌がよかった。服も手も泥だらけで汗をびっしょりかき、Tシャツは身体《からだ》にはりついていて、そうすると私はきまって、あのときの黒い下着姿を思いだしてしまうのだった。

夜、布団《ふとん》に入ると、私はいつもおとし穴のことを考えた。もう作戦も決めてあり、穴が完成したらござをかぶせて釘でとめ、きれいに土をかけて、そこに章吾の体操着袋をおいておくのだ。あんな穴に落ちたらきっと怪我《けが》をする。章吾は案外ひ弱そうだから、骨折くらいするかもしれない。いずれにしても、誰かが助けに来るまで一人であの穴の中だ。その恐ろしい想像に私はちぢみあがり、後悔にも似た不安で胸がしめつけられたが、それでいて得もいわれぬ快感がこみあげてくるのを、どうすることもできなかった。

おとし穴が完成したのは、夏休みも終りにちかい頃だった。蕗子さんは、何と二週間も穴を掘っていたことになる。

「そろそろいいかな」

穴の底で蕗子さんが言い、私は駆けよってのぞきこんだ。まっすぐにえぐられた黒土は生々しく、深い匂いがして、あたたかそうだった。

「土かけてごらん」

腰のロープをほどき、無表情な声で言うと、蕗子さんはうずくまる真似《まね》をした。

「蕗子さん」

呼んでも彼女はこたえない。

「蕗子さんてばぁ」

ぞっとして、どうしていいかわからずにいると、蕗子さんは泥だらけの顔をあげ、何の感情も籠《こも》らない調子で、冗談、と言った。

「冬眠ごっこ」

「……今、夏だもん」

口をとがらせて不服そうに言ったが、私は泣きそうになっていた。いやな冗談だ、と思った。蕗子さんはロープをしばり直し、身軽に土を蹴《け》って上がってくる。他の人が落ちないように、私たちは章吾の体操着袋が手に入るまで、そこにすのこをのせておくことにした。

帰り道、蕗子さんはいつにもまして上機嫌だった。重大な任務を遂行した人のようにすがすがしい解放感にひたり、歩きながら目を細めて、ぼそぼそとはな歌さえうたった。その蕗子さんの横を少しはなれて歩きながら（私たちは一度も手をつないで歩いたことなどない。これは、私が蕗子さんとの友情について自慢できることの一つだ）、反対に私はどんどん憂鬱《ゆううつ》になった。復讐《ふくしゅう》など気が重い。毎晩布団の中で残酷な想像をふくらませ、もう十分だったのだ。私の中で、小羊の逆襲はすでに終っていた。

三カ月分の家賃を滞納したまま蕗子さんがいなくなったのは、それからすぐのことだった。もともと荷物らしい荷物もなかったが、それにしても見事な去り際《ぎわ》で、私たちはみんな唖然《あぜん》とした。私は、彼女がすのこの下に隠れているような気がして探しに行ったが、穴はきちんと埋めたてられていた。私は大いそぎで用務員室に行き、穴を埋めたのが用務員さんかどうか問いただした。

「穴？ 穴って何の穴だい」

眼鏡をかけた用務員さんが、やかんのお湯をポットに移しながらきょとんと訊《き》き返し、とたんにいやな予感がした。血の気がひく、というのはああいうことをいうのだと思う。私は家に駆けもどり、息をあえがせながら、蕗子さんは土の中で冬眠してしまったのだ、と母に訴えた。当然のことながら母は全く信用せず、私は仕方なく、一人で蕗子さんを発見すべく連日穴を掘った。もちろん、いくら掘っても何もみつからなかった。

母は激怒していた。家賃のことよりも彼女の出て行き方（後脚で砂をかけるような、と母は言った）に腹をたてており、おとし穴のことは母の神経を逆なでした。おとし穴など危険千万だし、幼い娘に復讐だの逆襲だの人を傷つける手ほどきをしたり、あげくの果てに冬眠などとでたらめをふきこんで、一体どういうつもりなのだ、というのだ。子供を手懐《てなず》けるなんて、と言って母は憤怒《ふんぬ》の表情をうかべた。しかし、すべてはあとの祭で、大学に問いあわせると、蕗子さんはすでに退学手続きをとっていた。部屋の中を探したがお金も手がかりも一切なく、しばらくやっきになって行方を調べていた母も、結局あきらめざるを得なかった。まるで、最初から蕗子さんなんて存在していなかったみたいに、世の中は普通に平和に動いていたし、私と母は二人きりの生活に、ちゃんと慣れていった。

私は、蕗子さんの短い髪やめったにみせない笑顔、低い声や澄んだ目をよく覚えている。無愛想なほど単刀直入な物言いも、相手がとまどって目をそらしてしまうくらい正直な視線も、ありありと思い描ける。ときどき、蕗子さんはインコの村で暮しているのだと思ったりする。たぶんそこで元気にやっている、と思う。あれからずいぶんと時間がたち、私は、あのときの蕗子さんとおなじ、二十六歳になった。

水の輪

せみの声をきくと目眩《めまい》がするので、夏はあまり外にでない。そして、外にでなくても、それは執拗《しつよう》に私をとり囲み、耳にはりつく。鳴き声というのは建物に浸透してしまうものなのだろうか。壁からも天井からも、じわじわとしみだしてきて息苦しい。

「暑いわねえ」

ダンボール箱だらけのリビングにすわって、姉が言う。姉夫婦が手伝いに来てくれたお陰で、引越しは思いのほかはやく済んだ。

「いいところだなあ」

姉の夫がベランダにでて言った。

「さと芋畑が見えるぞ」

東京のはずれ、都心から車で一時間もかかる場所に引越しを決めたのは、家賃が安いせいばかりではなかった。土の見える場所で暮らしたい、と、ずっと思っていたのだ。

「ほんと。大きな葉っぱね」

ウーロン茶の缶を手に、満ち足りた気持ちでベランダにでると、ふいに頭の上から、けたたましく大きな鳴き声が降ってきた。

シネシネシネシネシネシネシネシネシネ
私はぎょっとして立ちすくみ、身じろぎ一つできなくなる。

シネシネシネシネシネシネシネシネシネ
けたたましいだけでなく、はっきりと意志のこもった、意地悪で挑戦的な声。

「驚きだなあ。こんなところにまだくまぜみがいるなんて」

姉の夫はいかにも感慨深そうに言い、ほんとうに環境のいいところだ、とつけたした。しかし、私は突然襲ってきた記憶の洪水にすっかり心をうばわれていて、姉の夫の言葉など、まるで聞いていなかった。

声は、いつも背中ごしに聞こえていた。姉も、姉の仲良しのさきちゃんも、小鳥のように可愛《かわい》らしい声で、倦《う》んだ調子で退屈をかこった。木洩《こも》れ日が三人の頭の上に降り、水の上で葉影がちらちら動く。ビニールプールのへりは赤く、私はいつもそこにぐたりと頬をもたせかけていた。日ざしにあたためられたビニールは水に濡《ぬ》れ、あたたかさとつめたさをいっぺんに、頬で味わうことができた。空気ではりつめたビニールは、頭をのせるとかすかにたわみ、その弾力が、自分の重みを認識させて哀《かな》しかった。自分の重み。ほんとうに、そうとしか言いようがない。私は七つで、姉とさきちゃんは九つだったが、みんな、自分たちの混沌《こんとん》の重みをもてあましていた。死にそうに怠《だる》くて、事実、みんなまだ死にとても近い場所にいた。人間にとっては生きていることの方が不自然なのだと、生理的に知っていた。

姉とさきちゃんはプールの中央にむけて足を投げだしてすわり、如雨露《じょうろ》で水をすくってはこぼしながら、ゆるゆると意味のないおしゃべりをしていた。私は両手をだらりと外にだし、背中で二人の声を聞きながら、「まぶしい」と「眠たい」は何てよく似ているのだろうと考えていた。土や草を間近に見すぎて、自分が小さな虫になったような錯覚をした。

彼は道路に立ち、そんな私たちをじっと見ていた。背が高く、瘦《や》せていて、夏でもたいてい長袖《ながそで》の服を着ていたが、余程暑い日にはきまって水色の、長袖だが薄手のポロシャツを着ていた。十五歳か十七歳か、ひょっとするともっとだったのかもしれない。つねにうすく笑っていて、昔風に刈りあげた頭の片側に、小さなまるい禿《はげ》があった。横に細長い茶色縁の眼鏡は、彼の目をひどくつりあがったもののように見せていた。白い布でできた大きな鞄《かばん》を、いつも肩から斜めにかけている。やまだたろう、という名だと誰かが言い、みんなそう呼んでいたが、たぶん本当ではなかったのだろう。

私たちは、庭に置かれたそのまるいビニールプールの中で、見られていることを全身で知っていた。如雨露を使う腕の動きの一つ一つまで、やまだたろうの視線を意識していた。性的な意味あいにおいてではない。私たちはそれぞれ無条件にかわいがられ、大切にされていたが、やまだたろうは違うと思っていた。そこには絶対的な優越感があり、私も姉もさきちゃんも、自分たちが保護されていることを知っていた。にやにやしながら道路に立っているやまだたろうは、それ以上近づいてくることがない。道路と庭とを隔てる、なにかとても深い溝があるのだ。私たちはみんな、その溝を信頼していた。プールの底にはディズニーの絵柄がついていて、水が揺れると光が屈折し、ドナルド・ダックの顔が歪《ゆが》んだ。

やまだたろうの家は私たちの小学校のそばにあり、そのせいで、彼は私の秘密を知っていた。姉もさきちゃんも知らない、私だけの秘密だ。

雨の日、私は一人で学校に行く。友達が迎えに来ても先に行ってもらい、必ずあとから一人で行った。雨の日は十五分遅刻と、そう決まっていた。私は普段からのろまだったので、雨の日の身仕度に時間がかかっても、誰も――母も担任も姉もさきちゃんも――不思議には思わなかった。

私は、大きな傘を肩によりかからせて持ち、青い長ぐつをはいて歩いた。雨に閉じこめられる感じが好きで、雨足が強ければ強いほど嬉《うれ》しかった。足元にできる無数の水の輪、傘を打つ雨の手ごたえ、そして、外界からすっかり遮断されるような、快くはげしい水の音。

壁に、直径五ミリほどの小さなかたつむりがたくさんくっついていた。透明感のある薄茶色の殻、均整のとれた渦巻。とくにレンガのすきまにはびっしりくっついていて、私は壁際《かべぎわ》を歩きながら一つずつ指でつまみ（壁からはがすときの、ごくかすかな、ぴたっという抵抗感）、地面に落としては踏んで歩いた。長ぐつの底から、しゃりしゃりと軽やかな、何とも小気味いい感触が伝わってきて、一歩ごとに心愉《たの》しかった。しゃり、という刹那《せつな》の、あの儚《はかな》さ。学校に行くみちみち、私はこの殺戮《さつりく》に熱中した。

ふいに視線を感じてふり向くと、やまだたろうが黒い傘をさし、黒い長ぐつをはいて道のまんなかに立っている、ということが何度かあった。私はクリーム色の石壁からはがしたかたつむりを踏んでいるところで、それは彼の家の壁ではなかったが、なんとなく、彼のかたつむりだという気がした。やまだたろうの視線を背中でいっぱいに感じながら、彼のかたつむりを踏みつぶす。ざあざあと音をたてて降る雨の中、世界中に私とやまだたろうの、二人っきりしかいないような気がした。奇妙なことに、私は彼に秘密を握られているとは思わなかった。秘密を共有している、と思っていた。

だから、気怠《けだる》い午後のビニールプールの中でも、私は、やまだたろうが見ているのは私だと確信していた。姉でもさきちゃんでもなく、私なのだと。

街道ぞいに、小さな和菓子屋があった。和菓子の他に、煎餅《せんべい》類やコーラやアイスクリームもおいていて、あまり上等な店ではなかったが、ときどきお金をもらっては、そこでお菓子を買うのが楽しみだった。季節ごとのお菓子の名前をそこで覚えたし、奥でもち米をふかすやわらかな匂《にお》いがして、私はその店が好きだった。

夏のあいだだけ売られるお菓子に、「水の輪」というのがあった。長四角に切られた黄色い羊羹《ようかん》で、上に透き通ったゼリーが薄くのせてあり、羊羹とゼリーのあいだには、レモンの輪切りが一枚ひらりとはさまっていた。元来羊羹は苦手なので、買っても一口食べれば満足してしまうお菓子だったが、名前の美しさと姿の涼しさにつられ、毎年どうしても欲しくなった。

ある日、いつものように母にお金を貰《もら》い、ビーズの財布を握りしめてその和菓子屋に行くと、うしろから、少し離れて誰かがついてくるのがわかった。おなじようなことは以前にもあった。やまだたろうだ。私は立ちどまり、相手がやっぱり立ちどまった気配をたしかめてから、ゆっくりとうしろに向き直る。水色のポロシャツを着たやまだたろうは、うす笑いを浮かべ、つり上がった目をしてそこに立っていた。

私はそのまま仁王立ちをして、やまだたろうを睨《にら》みつけた。少しも怖くなかった。からだは大きくても、彼はでくのぼうだ。一歩だってこっちに近づけるはずがない。私には、保護されている子供としての自信があった。

案の定、やまだたろうは動かなかった。満足と軽蔑《けいべつ》、それにほんの少しの失望を感じながら、私は彼をそこに残してすたすたと歩いた。

買い物をすませて和菓子屋をでると、やまだたろうはまだそこに立っていた。あいかわらずにやにやと笑って、一定の距離をおいてひとのあとをついてくる。私は今度は立ちどまらずに、足をはやめてうちに向かった。

抱えた包みには、水の輪が四つ入っている。水の輪ではなく、ちゃんと最後まで食べられるお菓子――みたらし団子とか草餅《くさもち》とか――を買いなさいと言い渡されてきたので、私は、叱《しか》られるであろう不安と、約束を破ることに伴うある種の興奮とで、胸を一杯にしていた。何と言って言い訳をしよう。みたらし団子も草餅も売り切れだった、と言ったら信じてくれるだろうか。道の傍《かたわら》に、区の指定保存樹木になっている巨大な欅《けやき》が揺れていた。

そのとき、まったく思いがけないことがおこった。ついてくる足音が、突然駆け足になったのだ。私は一瞬驚いて、それからすぐに考え直した。やまだたろうのはずがない。きっと誰か別な人が駆けてくるのだ。私が立ちどまれば、きっとその人は私の横を走りすぎていくだろう。

私は息をつめて待った。心臓が高鳴り、足音は私の真うしろでぴたりととまった。

ふり向くのには、勇気が要った。

やまだたろうは息も乱さずにそこに立っていた。眼鏡の奥の、つりあがった細い目、頭の横の小さな禿、そうしてあのうすら笑い。私とやまだたろうを隔てるものは、もう何もなかった。

白い肩かけ鞄の蓋《ふた》をあけ、彼は中から何かとりだして、握りこぶしを私に差しだした。乞《こ》われるままに手をだすと、とても大きな乾いたものが、ぽとりと私の手の中に落ちた。かさかさした哀し気な感触。それは深い茶色の、途方もなく大きなせみの亡骸《なきがら》だった。私は恐怖のあまり声もだせず、手が硬直してそのせみを捨てることもできず、それどころかまばたき一つできずに、手のひらにのった奇怪な物体を、ただじっと見つめた。

やまだたろうが——唖だという噂《うわさ》にもかかわらず——そのときはっきりと口をきいた。

「死ね死ね死ね死ね」

何という恐怖だったただろう。私はちぢみあがり、気絶せんばかりに驚いて、くだんのにやにや笑いを見上げた。死ね死ね死ね死ね。あのとき彼は私を見下ろして、たしかにそう言った。

かたつむりたちに殺される。

私は咄嗟《とっさ》にそう思い、あとはもう心底恐怖して、無我夢中で走って逃げた。やまだたろうは、うしろでまだ大きな声をだしている。

「死ね死ね死ね死ね」

うちに帰りついたとき、私はせみも、菓子包みも持っていなかった。膝《ひざ》がふるえ、心臓が口からとびだしそうだった。恐怖を認識して泣きだすまでに、しばらく時間がかかったのを覚えている。あれ以来、かたつむりを殺すのをやめた。


「へえ、くまぜみってこんな鳴き方をするの」

部屋の中から姉が言った。ああ、と姉の夫はうなずく。

「からだもでかいし声もでかい」

くまぜみ——。

「ねえ、やまだたろうって覚えてる？」

私はできるだけ何でもない風に姉に訊《き》いてみた。

「誰？」

姉も夕方のベランダにでて、けげんそうに私の顔を見る。

あのときやまだたろうのくれたせみはくまぜみで、彼はただその鳴き声を真似《まね》てみせてくれただけなのだ。たぶんそれだけだったのだ。

「なんでもない」

私は少し笑って姉に言う。

弱い風がベランダを渡り、せみたちはまだ鳴き続けている。

海辺の町

ビー玉よりおはじきの方が好きだった。おなじようにガラスでできていても、ビー玉は持ち重りがするし、ぶつけたときに、ばちんと無遠慮な音がする。おはじきの方がずっとひそやかで心愉《たの》しい。ひらべったくてやわらかにまるいおはじきは、一つずつ微妙にちがう形をしていて、完璧《かんぺき》な球形のビー玉よりも風通しがいい。掌《てのひら》にのせるといかにも頼りなげなところも、私には感じがよかった。

私は、おはじきを味の素《もと》の缶にしまっていた。赤くて四角い、その小さな缶の蓋《ふた》をあけ、中身を畳——干し草のように乾いてささくれた、色の変わった畳——にぶちまけると、おはじきたちはさらさらと涼しい音をたてる。私はほんとうにおはじきが好きだった。一人で、一日中でもやっていられた。細い隙間《すきま》に指先で線をひくのも、遠くからまっすぐにはじくのも上手だったし、りぼんのかけらを溶かしこんだような、赤や青や黄色の模様を、ただ眺めているのもおもしろかった。

四つんばいになっておはじきをしていると、窓から弱い海風が入った。風はまちがいなく海風だったが、その部屋の窓から、海は見えなかった。おしいれの襖《ふすま》は下半分がピンク色で、貝殻の模様が印刷されており、破れた箇所には、四角く切った木綿の布がいくつも糊《のり》づけされている。布はどれも派手な花柄や水玉柄で、ちぐはぐだったが気に入っていた。おしいれの中には、古びて小さいが本物の桐《きり》の抽出《ひきだし》があり、学校の道具も下着も洋服も、すべてその抽出一つに収まっていた。私と母は、写真屋さんの二階を間借りしていた。

父と母は離婚したばかりだったが（借金とりが、栃木のおばあちゃんのうちや赤坂の叔父さんのうち、つまり母方の親戚《しんせき》のところへおしかけるのに弱りきってのことだった）、父は母を、母は父を、それぞれの人生の中で、たぶん互いにいちばん愛している頃だったので、十日に一度だか半月に一度だか、父はこそこそと母に会いに来た。ケーキを買ってくることもあったし、おさしみを買ってくることもあった。おさしみはたいていいつもまぐろだった。あの頃、父の借金が一体幾らあったのか私は知らないが、あの海辺の町ですごした十一歳の夏は、奇妙にあかるい夏だった。

その町で私がいちばん好きな場所はパン工場だった。国道ぞいに十分程歩くと左手に現れる。そのずっと手前から、独特のあたたかな匂《にお》いがした。パン工場にいくとき、私はいつも口で息をするのをやめ、鼻だけで呼吸しながら国道を歩いた。国道は、ごくゆるやかなのぼり坂になっていた。

引越したばかりでまだ友達がなく、母は昼間仕事にでてしまうので、夏休み、私は時間をもてあましていた。部屋でぐったりしているのにあきると、ねじがとんだみたいな暑さと日ざしの降り注ぐなか、私は目的もなく、いつもぶらぶらとパン工場に行った。

正面の門は閉めきりだったが、裏門は開いていた。門から建物までかなりの距離があり、夏草がぼうぼう生えて、しずまりかえってひと気がない。小学校の裏庭に似ていた。門を入るとすぐ右側に柘榴《ざくろ》の木があり、その木に凭《もた》れて立っているのが好きだった。パンを焼く匂いのせいで、工場の敷地内は、外よりも少し温度が高いように思えた。そしてその温度差のぶんだけ、現実がまわりとずずれているような気がした。柘榴の木に凭れ、足元を見ながら——濃い空色の、あの頃一ばん安物だった運動靴のつま先と、風に揺れるカヤツリグサや蛍袋——私はただぼうっとしていた。壁にひびの入ったたきなり色の建物と煙突、時間がとまったような、なにかがほんの少しずれた空間。そこは奇妙な、それでいてとても安らかで居心地のいい場所だった。

おばさんとはこの裏庭で出会った。

パン工場の昼休み、いつものように木のそばでぼうっとしていると、ふいに肩をたたかれた。ほんとうにふいだったのに、それは人を全然ぎょっとさせない、不思議な肩のたたき方だった。親し気なくせに遠慮がちな、なつかしい感じのたたき方、たとえば待ちあわせをしている人が、やあ、という合図に相手の肩をたたくようなたたき方だ。

ふりむくとおばさんが立っていた。中肉中背、胸に工場の名前を縫い取った、白い上っぱりを着ていた。共布《ともぎれ》の三角巾《さんかくきん》で頭をぎゅうっとしばり、化粧っけのない顔は皺《しわ》が深く、おばさんはにこりともせずに、私をじっと見ている。叱《しか》られる気はしなかった。

おばさんには二種類あると、それまでの私は思っていた。子供を見ると叱るおばさん（怖いおばさん）と、子供を見るとにこにこして頭をなでたりするおばさん（気持ちのわるいおばさん）だ。このひとは、そのどちらでもなかった。生え際《ぎわ》が半分ほども白くなっていたので、五十は過ぎていたのだろうと思う。白黒まだらのその前髪を、三角巾もろとも黒い細いヘアピンで、ざくざくと何か所もとめていた。

「お昼よ」

とおばさんは言い、私は一瞬、お昼だからもううちに帰りなさい、という意味かと思ったが、それはもっと独り言にちかいひびきをもっていて、おばさんはそのままそこに腰をおろし、膝《ひざ》の上にお弁当をひろげ始めた。赤い地に白い水玉模様のついたハンカチは、結び目をほどくとふわりとひろがって、小さな楕円形《だえんけい》のお弁当箱は、アルマイトの蓋に椿《つばき》の絵がついていた。お弁当の中身は忘れてしまったが、大きな、桜の花型に切った人参《にんじん》が入っていたことだけは憶《おぼ》えている。お弁当の他に小さなこっぺぱんが二つあり、今思うと、あれは工場で支給されたものだったのだろう。私はそこに立ちつくし、大人の女の人が地べたに足を投げだして座り、堂々とお弁当を食べるのを、ただじっと眺めていた。

ルビーのゼリーみたいに赤く四角いおさしみに、おしょうゆをどっぷりつけて食べる。父の来る日は、父と会えることというより、母の機嫌のいいことが嬉《うれ》しかった。別々に暮らすようになってから、父は少し饒舌《じょうぜつ》になった。会わずにいれば話したいこともできるのだろうと思っていたが、話したいことがあって話すというよりも、話したい衝動にかられて話すらしかった。父は、他愛《たわい》もないことをいくらでも喋《しゃべ》った。

「せっかく海のそばに越したんだし」

と、あるとき父が言った。

「スイミング・スクールに通ってみちゃどうだ」

「スイミング・スクール？　それって、小川式フイムクラブのこと？」

私は言い、母と目をあわせて忍び笑いをした。

「なんだ、そりゃ」

父は二杯目のビールを飲んで機嫌がいい。それは、小川なにがしという、骨と皮ばかりに瘦《や》せた老人が経営する水泳教室で、パン工場同様、国道沿いにあった。おんぼろビルの入り口に、さらにおんぼろな看板が立っていて、それは海岸の屋台の立て看板――みそおでん、とか、脱衣所あります、とか――に似た、うらさびしい風情《ふぜい》を漂わせていた。しかも、小川老人自らの手になると思われるたどたどしい筆文字は、「小川式」という赤で書かれた部分がうすくなり、ほとんど消えかけている上、その下に水色の絵具で大きく、力みかえって書かれた文字は、何を間違えたのか、フイムクラブ、になっていた。

「きっと古式泳法よ」

茶化すように言った母に、父はいつもの様に真面目《まじめ》くさって反論した。古式泳法、結構じゃないか。きっと基本からしっかり教えてくれるぞ。何事も初めが肝心だ。

道で会う小川老人は、いつも口を曲げて渋い顔をしていた。日に灼《や》けてがりがりで、肘《ひじ》や膝がとびだしている。

でも、と言って母は首をかしげた。

「こんな海辺の水泳教室なんて、なんか胡散《うさん》くさいわね」

だって、雪山に住む子にスキー教室は要らないでしょう、と、母の論理も強引といえば強引なのだが、それにカルキは体によくないって、とともかく結論づけてしまい、

「そばにこんなにいい海があるのに」

と、独特のしみじみした口調でつけたした。父は目をきょときょとさせて笑い、

「それじゃあ海辺の町にはスキー教室こそ必要だということになる」

などと意地悪を言う。そして、父はおもむろに私の方にむきなおる。

「スキーだってさ。習うかい。水泳とスキーと、ほんとのところ、お前はどちらが好きなんだ」

もともとお酒の強くない人で、酔眼でねめつけるようにそう訊《き》いた。詰問《きつもん》されても、私は平気だった。水泳にせよスキーにせよ、子供を余分な教室に通わせるお金など、うちにはまるでないことがわかっていた。

ときどき海に行った。坂道を下っていくと、海は錆《さ》びた物干し竿《ざお》の匂いがした。以前住んでいた都心のアパートの、サッシ窓と狭いベランダ。そのベランダ一杯にシーツを干したときの匂い。白いシーツの向う側に立ち、はためく布に顔を寄せて匂いを嗅《か》ぐ。濡《ぬ》れたシーツは顔じゅうの穴という穴——目や口や鼻の穴——にすいついて、目の前全部がまぶしい白になる。目をつぶってもその白は消えない。あのときの匂いだ。母にみつかると叱られた。窒息したらどうするの、と、本気で怒った声に耳を叩《たた》かれる。

しかし、いざ海についてみると、海は、すでに錆びた物干し竿の匂いなどでは全然ないのだった。その瞬間、私は何度でも失望させられた。

海に続く坂の途中に、ござや浮き輪を売っている店があった。一度父と散歩に行って、つばの広い、ごわごわと肌ざわりの悪い麦わら帽子を買ってもらった。あごの部分にわたされたゴムで上から吊《つ》るしてあったので、その細いゴムはすでに弱く波うち、すっかりのびてしまっていた。帽子にはクリーム色のりぼんがついていて、風が吹くとぴらぴら揺れる。中に顔をうずめると、埃《ほこり》の匂いがした。

父とは、よく海に行った。父は海に行くと必ずずぼんの裾《すそ》を膝まで折り返し、白い脛《すね》をだして歩く。その姿が好きだった。

母の誕生日にも、父と海へ行った。母の好きな夕顔をたくさんつんで持って帰ったのに、母は、夕顔をつむと雨になる、と言ってあまり喜ばなかった。私も随分がっかりしたが、父はもっと悄気《しょげ》ていた。

パン工場のおばさんとは、しょっちゅう会うようになっていた。おばさんは昼休みでなくてもやって来て、少し休憩をして戻っていく。ポケットに飴《あめ》やチューインガムを持っていて、ときどきくれたが子供が好きというのでもないようだった。私がそばにいても、知らん顔をしていることも多かった。

気がむくと、おばさんは私に話しかけてきた。名前や年や家族のことや、ありふれた質問だったが、私の方は気がむいてもむかなくても、ちゃんとおなじ礼儀正しさでこたえる。

また、おばさんはよく鬼灯《ほおずき》を揉《も》んでいた。おばさんの手は指が太く、甲の部分がこんもりとふくらんで荒れている。その太い指をぐにぐにと動かして、おばさんは縦からも横からも鬼灯を揉む。かさかさのふくろを破くと、ちょうど羽根つきの羽根のような格好で、鬼灯は果肉を露《あらわ》にする。おばさんの指の、やわらかいけれどひどく乱暴な、その動き。みっちりと肉のついたおばさんの手の中で、固い朱色の鬼灯の実が、徐々にやわらかく、透明な色合いになっていくのを見るのはおもしろかった。

ただし、最後の五分間は別だ。鬼灯をめぐるおばさんの一連の動作の中で、あの五分間だけは嫌だった。実がじゅうぶんにやわらかくなると、おばさんはそれを口に入れて、くちゅくちゅと弄《もてあそ》ぶ。嚙《か》んでつぶしたりしないようにそおっと。あの口の動きほど醜悪なものを私は他に知らない。ほんとうに鳥肌がたったし、嫌いというより憎悪した。そして、それでいてその場面にでくわすと、おばさんの正面にまわって、くいいるように口元を見つめてしまうのだった。

口の中ですっかり中身をだしてしまうと、おばさんは器用にそれを鳴らす。鬼灯は、ぎゅっ、とか、ぎゃっ、とかいう風に、つぶれた蛙《かえる》の悲鳴のように鳴る。

おばさんに、一度「しいちゃん」と呼ばれたことがある。

「しいちゃん、ほら、見て見て」

そう言って、おばさんはカヤツリグサの茎をさいた。

「しいちゃんじゃないよ」

私が訂正すると、おばさんはひどくあわてて、あ、ごめんなさい、と謝った。

「謝らなくてもいいけどさ」

変なの、と私は思い、なんとなくきまりが悪くなってカヤツリグサを一本折った。

おばさんは、淋《さび》しそうな顔をした。

しいちゃんって誰なの、と思いきって訊いたのは、しばらくたってからだった。

姉よ、と、おばさんはぶっきらぼうにこたえ、次に言った私の言葉が、おばさんをひどく怒らせた。

「ふうん。おばさんの子供かと思ったよ」

目を細めて人のことをじっと見て、おばさんにも子供がいてね、などと懐《なつか》しそうに言う人を私は何人も知っていた。彼らはたいていこんな風に言う。もう大きくなっちゃったけど、昔はあなたくらい小さくてね——。

「私はね」

おばさんは唇を少しふるわせて、私の顔を見ずに、声に怒りを滲《にじ》ませる。

「私は子供なんて一度だって産んだことはないのよ」

子供、という言葉を、何かとても悪いもののように口にした。

私を怖がらせたのはおばさんの横顔だ。憤慨したように表情がはりつめ、怒っているというよりむしろ悲しみにみち、私は、自分の言葉で大人を傷つけた、ということに動揺した。おまけに、理由はわからないがおばさんの方でも動揺していて、訊きもしないことを独り言ともつかずに言い添える。

「しいちゃんとだって、もうずっと会っていないのよ」

気まずい沈黙が続いた。パン工場の裏庭は晴れて、しずかで平和だった。大きな柘榴の木、その根元に蛍袋の花。おばさんは、まるで私がそこにいないみたいに、ポケットから鬼灯をだして揉みだした。心臓がぎゅうっと縮むような気がした。

私は逃げるみたいにうちに帰った。胸の中じゅう、口の中じゅういやな気持ちだった。まるい、濃い朱色の私の心臓が、おばさんの指に揉みしだかれている。おばさんは知らん顔をしていた。

他におばさんについて私が知っていたことは、クラシック音楽（クラッシック、とおばさんは発音した）が好きなことと、麦茶に砂糖をいれること。私は、お昼に水筒の中身を一口もらい、甘い麦茶は鬱陶《うっとう》しい味だと思ったが、おばさんはそれをいつもおいしそうに飲んでいた。

夏の終り、パン工場の庭で、私は味の素の缶の蓋《ふた》をあけ、おばさんの目の前につきだした。

「くれるの？」

おばさんは私の顔を見上げ、きょとんとして訊いた。私はおもおもしくうなずく。

「どれでもいいの？」

私はじっとそこに立ち、嬉しそうに缶をさぐるおばさんの、薄い頭のてっぺんを見ていた。水色の模様のついた小さなおはじき——いちばん気に入っていたぶん——は、あらかじめ缶からだしてある。あとはどれを選ばれてもかまわなかった。

「これにするわ」

にっこり笑って顔をあげたおばさんの掌《てのひら》には、赤い模様の、形のいいおはじきがのっていた。

「この、金魚みたいなやつ」

おばさんがそう言った途端に、私はそれがとても惜しくなる。金魚。たしかに金魚みたいだ。つめたい水の中を泳ぐ、ひらひらした金魚。おばさんは私の顔を見て、それを満足気にポケットにいれた。

不思議な夏だった。些細《ささい》なことを、妙に鮮明に憶えている。冬にはパン工場が閉鎖され、おなじ頃父が消息を絶つ。次の春には小川老人が海で溺死《できし》した。そういうことの記憶は次第にうすくなっていくのに、あの夏の記憶だけ、いつまでもおなじあかるさでそこにある。つい今しがたのことみたいに。

私は今でもおはじきが好きで、小さな缶にしまっているが、金魚の姿は見つけられない。

次の夏がくる前に、私たちはその海辺の町をひっこした。

弟

お葬式というのは、どうして夏ばかりなんだろう。母も叔父も、祖母も夏に死んだ。近所でお葬式があるのもきまって夏で、子供の頃、霊柩車《れいきゅうしゃ》がいってしまうまで親指を握りしめていると、手のひらがじっとりと汗ばんだ。おとし町会長さんが亡《な》くなったのも七月で、惜し気もなく降る蟬《せみ》の声に、夫人の挨拶《あいさつ》がまるできこえなかった。打ち水をしたアスファルト。苦し気な日ざしの中で、参列者はみんな、白いハンカチで額や首すじを拭《ぬぐ》っていた。濃い青や赤の、たちあおいの垣根。

きょうはまた、暑い一日だった。

脱いだ喪服を鴨居《かもい》に掛け、私はスリップ姿のまま畳に横になる。あけ放たれた障子から庭が見える。たっぷりと垂れる緑、父の自慢の苔《こけ》むした石。弟は、ずいぶんと白いきれいな煙になって、晴れた空にのぼっていった。高い煙突からほっそりと女性的なしぐさでたなびきながら、弟はいかにも気持ちよさそうに、愉快げに笑っていた。

襖《ふすま》の向うで、親戚《しんせき》がみんなお茶をのんでいる。ときどき太い咳払《せきばら》いや女の人の涙声がきこえる。遠慮しいしい歩く人の足音や、これみよがしにどしんどしん歩く人の足音。そのたびに畳がきしむ。もしも今襖があいて、私がここでこんな風に、こんな恰好《かっこう》でだらしなく横になっているのが見つかったら、父は顔を上気させ、すじを立てて怒るだろう。親戚はみんな黙りこむ。そうしてきっと、あとから陰で父の百倍くらい文句をいうのだ。手足が怠《だる》い。なつかしい、しずかな部屋に仰向《あおむ》けになり、私は自分の体をもてあます。

夏のお葬式はいやねえ。

母はよくそう言っていた。お葬式から帰ると玄関で父と自分に塩をまく。母のその、さばさばした小気味のいい手つき。父は威張って立っているだけだ。

母はこの部屋で喪服を脱いだ。しゅるりと帯をとく音や、襦袢《じゅばん》のたてる涼し気な音が好きだった。その黒い着物の衿《えり》や裾《すそ》や袖口《そでぐち》を、母はベンジンで丁寧に拭《ふ》く。揮発性の匂《にお》い、甘い頭痛。私と弟は部屋の隅で膝《ひざ》をかかえ、黙ってそれをじっと見ていた。仄暗《ほのぐら》い八畳間を、風が渡っていく。

火葬場から戻る車の中で、父の後妻はぼってりとむくんだ顔で私を見た。化粧がくずれてひどいありさまだ。気丈ねえ、と、腫《は》れあがった目が言っていた。弟のお葬式だというのに涙一つみせない私が、彼女には理解できないのだ。父の後妻は、お葬式といえば必ず目を赤くする。それが町会長のお葬式でも、会ったこともない遠い親戚のお葬式でも。

私は、お葬式をかなしいものだと思ったことなど一ぺんもない。

はじめてのお葬式は、祖母のそれだった。弟が小学校に入学したばかりの夏だったので、もう二十年ちかく前のことになる。このおなじ襖の向う、この家のなかでいちばんひろい十四畳敷きの和室に、きょうとおなじように人があつまり、おなじように飾りたてられた祭壇がしつらえられていた。ただ、木魚の音だけは、きょうよりもあの日の方が、ずっと長閑《のどか》にひびいていたように思う。死んだ人の年齢のせいだろうか。白檀《びゃくだん》の匂いが、お線香ではなく扇子からたちのぼっていた。母の数珠《じゅず》は薄紫の水晶で、縁側からの日があたるときらめいた。遺影の祖母はウールの羽織りを着てまぶしそうな顔でわらっており、無論写真は白黒だったのだが、それが祖母の愛用していた濃い抹茶色の羽織りだということは、すぐにわかった。暑そうだと思ったのを憶《おぼ》えている。散歩にでるとき、彼女はいつもこの羽織りを着て、おなじ抹茶色のビロードの鼻緒のついた、いい音のする下駄《げた》をはいていた。

もともと小柄だった祖母は柩《ひつぎ》の中でますます小さく縮こまり、柔和というよりも少しまのぬけた、穏やかな顔で花に埋もれていた。口元がいつもとちがうと思った。死んだからちがうのだろうと思った。私も弟も、死んだ人を見るのははじめてだったが、ちっとも怖くなかった。なにもかも、とても自然だった。

夜は、白い大きな提灯《ちょうちん》をつるす。ほたるがたくさんきた。池の水はなめらかな苔色で、藻がゆらゆら揺れている。私と弟はとび石づたいにけんけんをして、じゃんけんに負けると道をゆずっては端からやりなおす、「どーん、ちっけった」をしていつまでも庭で遊んだ。いつまで遊んでいても叱《しか》られなかった。大人はみんな、お酒や仕出し弁当の準備に忙しかったのだ。

「ころばないでね」

ぴょんぴょんと勢いよく、石から石へとびうつっている弟に言う。あの頃、弟の髪は母がヘルメットのような形に切り揃《そろ》えていて、その黒い髪が、弟の跳ねるたびに闇《やみ》の中でつやつやと上下に揺れた。弟は、以前にこうしてとび石をとんでいて、ころんで爪《つめ》をはがしたことがある。あのとき、火がついたように泣く弟を抱きかかえ、裏庭で切ったアロエをその小さな足指にあてがって、手際《てぎわ》よく包帯をまいてくれたのは祖母だった。

「ころばないよ」

人が死ぬというのがどういうことか、私たちにはちゃんとわかっていた。

祖母の柩に花を入れ、教えられたとおりに手をあわせてしまうと、私たちにはもうすることがなかった。弔問客は昼も夜もやってくる。似たような顔の似たような人たち、似たような挨拶と似たようなため息。その奇妙で特別な日々は、私と弟の外側で、果てしなく続くかのように思われた。暑さと疎外感《そがいかん》と退屈とで、私たちはすっかり倦《う》んでいた。

その一方で、放っておかれる自由だけはあり余るほど感じていた。いま二人で旅にでれば、永遠に戻らずにすむような気がした。あたためられた地面からたちのぼる陽炎《かげろう》の、めまいにも似た感じ。いなくなっても誰も気がつかない。そう思うことの、ぞっとするような自由とつきあげる歓喜。

「暑いねえ」

私たちは日に何度もそう言って、台所にいってはジュースをのんだ。

お葬式ごっこを思いついたのは、そういう日々だった。はじめ、それは弔問客たちがいる部屋の隣、この八畳間でこっそりとくり返された。シンプルな遊びで、まず片方が畳に仰向けに寝る。もう一方は最初遺族役なので、安手のテレビドラマによくあるように、寝ている者の体にとりすがって揺さぶる。いやあ、死なないでっ。死なないでえ。

不思議なもので、こうされると寝ている方はなんだか後ろ髪をひかれる思いがする。口のあたりをむずむずと歪《ゆが》めたくなるのだが、じっと我慢しなければならない。そして、ここからがいよいよクライマックスだ。押し入れから掛け布団《ぶとん》を一枚だしてきて、それをひろげて両手で持つと、寝ている者の足元に立ち、さき程の遺族役は火葬場の焼き係役を経て、一転、火そのものの役になる。

「では」

神妙な声で低くつぶやき（これが焼き係役）、

「ゴオーッ」

という大声と共に、死人の上に布団ごと被《かぶ》さるように落ちるのだ。ゴオーッ。その声が大切で、死人はいくら覚悟していても、その怪獣の吠《ほ》え声の如《ごと》き大声にぎょっとなり、にわかに断末魔の気持ちが味わえる。続いて布団もろとも相手が落ちてくるのだが、布団が日ざしを遮るので、目をつぶっていても闇が落ちてくる。まるで、自分がどこかへ転落していくようだった。ばさり、と、風が一瞬前髪をもちあげる。火役は死人がつぶれないよう注意して四つんばいになるのだが、それでも、布団が被さる瞬間は、体重がかなりまともに寝ている者にかかる。その衝撃が、また死にとてもふさわしかった。

私たちはこの遊びに夢中になった。代りばんこに畳に横になり、何度でも死んだ。そして、片方が立ちあがって片方が横になり、そそくさと役がらを交代するあいだ、二人ともつねに無言で、できるだけ厳粛な雰囲気をだそうとした。しかし、テンションがあがりすぎると軽い興奮状態になり、おさえきれずにくつくつ笑った。いったん笑うととまらなくなり、私も弟も、声を殺して苦しいほど笑った。あけ放たれた障子の向うでは、やはり庭の緑があかるく濡《ぬ》れ、手前の日なたくさい縁側を、大人たちがときどき足早にとおりすぎていった。

そのうちに、私たちはそれをおもてでやることを思いついた。家の裏手には、うってつけの小さな山があり、しかも、その山道をのぼるとほんとうのお墓にでるのだ。私と弟は、四つにたたんだ掛け布団を二人で抱え、まるでピクニックにでもいくような気持ちで裏山にのぼった。二人とも、白い帽子をかぶっていた。日射病は怖いんだからと、母に厳しくいわれていたのだ。私は帽子が嫌いだった。視界が狭くなるし、汗をかくと額がちくちくちくして鬱陶《うっとう》しい。ただでさえ暑いのに、なんだってわざわざ帽子までかぶるのだろうと思っていた。それに比べると弟はずっと従順で、私が帽子について不平を言うと、かぶっていることを忘れちゃえばいいじゃないか、と、役にも立たないアドヴァイスをしてくれるのだった。

私ははだしにゴムぞうり、弟ははだしに運動靴をはいていた。日陰を選んで歩いたので、土は黒っぽく湿ってやわらかく匂い、一歩ごとにしわりと手応《てごた》えがある。蟬ばかりじゃなく、鳥も鳴いた。きろきろきろきろ、とかん高く鳴くのや、ぷちぷちと小さくはじけるように鳴く鳥を憶えている。どうしても布団をひきずるので、歩いているうちに、その白いカバーのかけられた夏掛け——山水画の描かれた青い布団だったのだが——は、まわりじゅうに泥がつき、よれよれになってしまった。

私たちの気に入りの場所は、お墓に続く砂利道を途中で右に折れ、夏木立の中をずんずんすすんだところにある小さな窪地《くぼち》で、うつぼ草の花が咲いていた。ねそべると、ぽっかりとまるく空が見える。とてもしずかな場所だった。かなり奥まっていたので空気がひんやりし、秘密の火葬場には、これ以上ないくらいふさわしかった。

木々の深い匂いと土のつめたさ、それにめまいのような日ざしの中でするお葬式ごっこは、家の中でするそれの比ではなかった。ゴオーッという声とともに布団が落ちてくる瞬間など、私も弟もうっとりして鼻の穴をふくらませた。

ゴオーッ。ゴオーッ。ゴオーッ。

まぶたに炎が見える気がした。こうして日の暮れるまで、私たちは何度でも死に続けた。めくるめく、という言葉がぴったりだった。不思議な興奮と歓喜に胸をつまらせる。そのうちに、二人とも炎を熱演しすぎて声を枯らした。顔をみあわせて笑う。

帰りみち、私たちはとてもみちたりた、心地よい疲れに体じゅうほてらせて歩いた。泥だらけだった。

ある日、私はいいことを思いついた。よその子のお葬式をするのだ。野崎健一や森田まさる、阿部《あべ》圭子《けいこ》や内海《うつみ》祐吉《ゆうきち》、弟を一度でもいじめたことのある子はみんな、端からお弔《とむら》いをするのだ。私には、これはすばらしくいい思いつきに思えた。弟は、いたいたしいほどのいじめられっ子だった。

私のその提案に、弟は小躍りして喜んだ。まず、気の毒なスケープゴートたちの様子をできるだけ丹念に思いうかべる。野崎健一のうす汚れた縞《しま》のTシャツや、森田まさるの刈り上げられた頭、着たきり雀《すずめ》のジーンズの上下。阿部圭子の暑苦しいハイソックスや、背ばかり高い内海祐吉の、短かすぎる半ずぼんと日やけした足。それらをできるだけ詳細に思いうかべてから、一人ずつ順繰りに窪地に寝かせ、一人ずつゆっくり荼毘《だび》に付す。

ゴオーッ。ゴオーッ。ゴオーッ。

ところが、途中で私は妙なことに気がついた。火役の弟の声が涙ぐんでいるのだ。むきになって残酷な声をだしてはいるが、あいまあいまにしゃくりあげたりする。

「どうしたの」

布団から顔をだして訊《き》くと、弟は小鬼のようにまっ赤な顔をして、かわいそう、と、消え入りそうな声で言った。

「かわいそう」

私は布団の中で絶望する。

「なあに、それ」

もうやめるわけにはいかないのよ、と私が言うと、弟はしょうことなしにうなずいて、健気《けなげ》に遊びを続けようとする。

「弱虫なんだから」

弟の顔は、涙と洟《はな》とよだれでぐしゃぐしゃになっていた。そして、それでも姉に忠実に、あらん限りの声で怒鳴りながら落ちてくる。狂犬病の犬みたいだと思った。

「ほんとに弱虫なんだから」

なにもかも、ろくなものじゃないと思った。私は土の上にねそべって、弟以外のあらゆる人たちを憎悪《ぞうお》した。

そばに立っていた太い木の幹に、幹と似たような茶色のかまきりがとまっていた。お日様は白っぽくにじんで、地上の温度をぐらぐらと上げていた。


弟は虫が好きだった。

よく縁側に腰かけて、白い、やわらかい、むっちりした足をぶらぶらさせながら、庭の虫を観察していた。なかでもとりわけ弟の気に入っていたのは蛾《が》で、淡いクリーム色の、大きな粉っぽい蛾が網戸にとまってなどいると、弟はいかにも大事そうにそおっと、網戸のこちら側から手をだしてそれに触れた。

「蛾は親切な虫だよ」

弟はよくそう言った。蛾のあたたかさにくらべたら、蝶々《ちょうちょう》なんてうすっぺらだ、とも。弟は、きゃしゃなピンで一匹ずつ箱にとめられた、きれいな蛾の標本もいくつか持っていた。

その弟を狂喜させたのは蛾のお葬式だ。死んだ蛾をたくさんの蟻《あり》がかついでぞろぞろと運ぶ、あの光景ほど弟の心を強くとらえたものはない。

「蟻ってお葬式のためにつくられた虫だね。どんなに遠くにいても、ちゃんと死骸《しがい》の匂《にお》いをかぎつけてやってくるんだ」

弟は目をかがやかせ、縁側からころがり落ちんばかりにかがみこんで言う。蟻の行列はたしかにもの哀《がな》しく、日ざしの中で、一匹ごとにとても沈痛な様子にみえた。

そういえば、蟻たちのお葬式もきまって夏だ。

「いいお葬式をした御褒美《ごほうび》に、砂糖水をつくってやろう」

虫の行列をじゅうぶん眺めおえると、弟はいつもそう言って台所にいき、コップに六分目くらい、白濁した砂糖水をつくって戻ってくる。

「なめてみる?」

首をちょっとすくめて嬉《うれ》しそうに弟は訊き、私たちはそれをうやうやしく指先ですくうと、二、三度なめて味わった。ぼんやりした味で、なめるとなんだか侘《わび》しくなった。

葬式提灯《ぢょうちん》だといって、砂糖をそのまま撒《ま》くこともあった。弟の大盤振る舞いに、蟻たちはむしろ困ったように右往左往していた。


隣の部屋から父の声がきこえる。父はひどいしゃがれ声をしている。

私はぐたりと寝返りをうつ。畳の感触。池のそばでカエルが鳴いている。そろそろお鮨《すし》がくるころだ。それまでに起きあがり、もう一度喪服を着て彼らのところにいかなくてはならない。お酒をもう一升、納戸《なんど》からだしてきた方がいいだろう。目をつぶると昼間の青空がうかんできた。弟の煙。あれなら神様のところへまっすぐたどりつくだろう。まったく、弟ときたら要領がいいのだ。こんなに晴れた日に、あんなふうにすいすいと気持ちよさそうに。ずるだ。弟のきまりの悪そうな笑顔がみえるみたいだ。

夏のお葬式はいやねえ。

母が喪服をベンジンで拭《ふ》く。私と弟は部屋の隅で膝《ひざ》を抱え、母のしぐさの一つ一つをじっと見ている。揮発性の匂い、甘い頭痛。仄暗《ほのぐら》い八畳間を風が渡っていく。

きっと、私もいつか夏に死ぬ。

あげは蝶《ちよう》

私は新幹線が嫌いだ。

整然とした車内の様子も、浮世ばなれしたアナウンスも、ワゴンを押して物を売る女の子の制服も。よく磨かれた大きな窓や、ぴかぴかしてきれいな銀色の窓枠、不《ぶ》恰好《かっこう》な上着掛けフックや、あのばかげたカーテンなんかも。

八月の新幹線はとくに嫌いだ。子供が多くて騒々しい。子供たちは集団で通路を走りまわる。彼らの声はおどろくほどよく通り、それを形式的に咎《とが》める母親の声が、さらにまた耳ざわりだ。私は子供が好きじゃない。ちょうど、子供の頃大人が好きじゃなかったように。

結局のところ、人は変わらないのだ。子供の頃、私は大人が——両親が——嫌いだったし、新幹線も嫌いだった。八月の新幹線はとりわけ——。

夏になると毎年、母の実家に遊びにいった。もっとも、旅の実質的な目的は、母の母の実家、つまり曾祖母《そうそぼ》の家を訪ねることだった。曾祖母の家は豪邸だった。何しろ「もと華族さんの家」であり、「コウコウハクシダンのシ」爵《しゃく》のお家であったから、立派なのはあたりまえだと教えられていた。母は、彼女にとって「おばあさまのうち」であるところのこの家を偏愛しており、彼女の母親が、その昔家族の反対をおしきって、「一介の勤め人」と駆け落ち同然に家を出たことを、「気違い沙汰《ざた》」だと考えていた。思うに、母も彼女の母親が我慢ならなかったのだろう。私にも、その気持ちはよくわかる。

曾祖母の家のなかで、私が憶《おぼ》えているのは応接間と玄関だ。どちらもひどく感じが悪かった。応接間は暑苦しく陰気で、油絵とセーブル焼きの花瓶が飾ってあった。ソファーの背凭《せもた》れに白い布がかけられていて、私はそれを見るたびに、新幹線みたいだと思った。がらんと寒々しい玄関には、きまって大きな生け花が置かれていた。それがまわりの空気をひどく緊張させ、来る者すべてをあからさまに拒んでいるようで、私は三和土《たたき》に立っているだけで、父と母と自分とがひどくちっぽけなものである気がした。

その日、私は白いワンピースを着ていた。フランス製だかイタリア製だか、ともかく外国製の生地を使ったもので、おなじ白い糸で、たくさんのマーガレットが刺《し》繡《しゅう》されていた。ベージュの革靴に、あっさりした白い三つ折りの靴下をはき、手には小さなバスケットをさげていた。こまかく憶えているのは写真があるからで、写真のなかの私はきわめて無表情に、新幹線のホームに立っている。

私は衣装持ちだった。どれも贅沢《ぜいたく》で美しく、汚れやすく耐久性に乏しい服だった。私立の小学校に通っていたし、グランド・ピアノとチンチラ猫――情操教育のために――を持っていた。その後すぐ私に蕁麻《じんま》疹《しん》と鼻炎があらわれ、猫アレルギーであることが判明したのでチンチラは返してしまったが、いずれにしても、食堂のほかに八畳間が二つあるきりの借家では、ピアノも猫もむしろ滑稽《こっけい》なものだった。

小さな製薬会社に勤めていた父は、母が私にお金をかけすぎると言っていつも怒ったが、母はまるで聞く耳を持たなかった。子供のときから「よいもの」に囲まれて生活していたかどうかが、その人間の「人品骨柄」を決め「一生を左右」するのだと、母は固く信じていた。私の教育方針をめぐって父と母は始終喧嘩《けんか》をしていたが、最後には母がきまって、「そのぶん私がきりつめてるんだから」と言い放つのだった。

たしかに母は「きりつめ」ていた。自分の服や化粧品はスーパーマーケットでしか買わなかったし、私のことは美容室に連れていくのに、自分の髪は自分で切った。

母はまた、「欧米では歯ならびがその家庭の文化水準を示す」のだと言い、私を矯正歯科に通わせた。前歯の一本ずつについた銀色のつぶつぶと、つぶつぶからつぶつぶへ渡された堅牢《けんろう》な針金とのせいで、私の口のなかは恒常的に傷だらけで血の味がしていた。食べることと笑うこと、喋《しゃべ》ることと鏡を見ることがおそろしく苦痛で、必然的に、私はまわりの大人やクラスメイトたちに、ひどく陰気な子供だと思われていた。

私には、母がまたなぜ「一介の勤め人」である父と結婚したのか理解できなかった。「コウコウハクシダンのシ」爵とでも結婚すればよかったのに、と思っていた。そうすれば私も生まれなくてすんだのに。

母は、毎朝私の髪をとかしてくれた。ごわごわと硬くて扱いにくい私の髪に、母は毎朝りぼんを結ぶ。タフタやシフォン、ジョーゼットでできた薄くてきれいなりぼんたち。私の髪を整えながら、母はよく呪文《じゅもん》のようにささやいた。あなたには華族さんの血が流れてるのよ。

華族さんの血。

私には、それはなにかとても怖《おそ》ろしいもののように響いた。怨念《おんねん》とかたたりとか、なにかそのようなもの。華族さん、という言葉が、おきつねさんやお稲荷《いなり》さん、果てはこっくりさんまでを連想させたせいかもしれない。

新幹線の中で、私は仏頂面《ぶっちょうづら》をしていた。とりわけトンネルの中ではそうで、それは、真黒な窓に自分たち三人の姿が――険しい顔つきの太った母親と、にわとりのように小柄で貧弱な父親、似合わない服を着せられた醜悪な娘が――、轟音《ごうおん》と共に映しだされるからだった。

母は私に何でも買ってくれたが、私は、母が私を嫌いなことを知っていた。仕方がないとも思っていた。私はちっともきれいじゃないし、上等な子供服もひらひらのりぼんもちぐはぐだ。ピアノはさっぱり上手《うま》くならないし、おまけに猫アレルギーなのだ。母の望む娘には程遠かった。

そして、それでも母は、夏の旅行には私を飾りたてた。まさに心血を注いで。

私は父にも嫌われていた。「無愛想」で「子供らしくない」子供だからであり、父はそれをいつも母のせいにした。見ろ、お前の高慢ちきがみごとに遺伝したぞ。かまわなかった。私の方でも父など嫌いだったのだ。私たちといるときの父は常に苛々《いらいら》していたし、そのくせ夏の旅行をボイコットすることもなく、曾祖母の家で、彼はおそろしく卑屈に見えた。

私は夏が嫌《いや》だった。

通路をはさんだ斜め二列うしろの席に、べたべたとくっつきあっている男女がいた。男はジーパンをはいて髪が長く、ひょろりと背が高かった。女は反対に髪が短く、不健康にずんぐりしていて色白だった。丈の短いスカートからつきだした、むっちりした脚を男の太腿《ふともも》にからめている。私の目を惹《ひ》きつけたのは、女の太腿に貼《は》られた小さなシールだった。それは黒と紫のあげは蝶《ちょう》で、女が脚を動かすと、蝶はそのいささか白すぎる太腿の上で、せつなげに身をくねらせるのだ。女はガムをかんでいて、くちゃくちゃくちゃという小さな音が、いかにも下品に蠱惑《こわく》的に思えた。

しばらく眺めているうちに、私は奇妙なことに気がついた。女と、何度も目が合うのだ。男の上に半ば体をあずけきり、鎖骨のあたりに顔をこすりつけたり、耳元で何事かささやいたりと、甘えているのは一方的に女のようなのに、男がにやにやと女ばかり見ているのと対照的に、女はひどく冷静な眼差《まなざ》しで、男よりもむしろ私を見ながら――まるで挑発するように、視線で私を誘いながら――男にべたべたしているのだった。

私は目をそらさなかった。女は笑っていた。唇がぽってりと厚く、気の強そうな、きれいな顔をしていた。

新幹線のなかでもいちばん嫌なのがトイレだった。宇宙船のようにあじけなく機械的で(機械は、いつも私を不安にさせる)、床も便器も金属でできている。排泄《はいせつ》物《ぶつ》の吸い込まれる穴が、水を流すと同時に放射状にひらく、という合理的すぎるシステムも、異様な気がした。しかし圧巻なのは勿論《もちろん》水で、あの毒々しく青い水ほど、私に胸騒ぎをおぼえさせるものもなかった。金属の便器と青い水、揺れる足元と目の前の鏡。私にとって新幹線のトイレは、得体の知れない外の世界と、その威圧的な力の象徴だった。

がっしりと重たい引き戸をあけて廊下にでると、さっきの女が立っていた。壁に凭れておもしろそうに私を眺め、ガムをかんでいる。私はとっさに太腿を見つめた。あげは蝶のシール。女は私の視線に気がつくと、ふんと鼻から息をこぼして笑い、長くのびた爪《つめ》でシールをはがすと、それを私のほっぺたに貼りつけてくれた。

シールは生あたたかかった。

「さっきじっと見てたでしょ」

と、女は言った。私は返事をしなかったのだが、女は私の態度に気を悪くするふうもなく、

「ちょっと待ってて。おしっこしてくるから」

と言ってトイレに入ってしまった。私は、いわれた通りそこに立って待っていた。女の白い太い腿が、金属の便器をまたぐところを思い浮かべた。たったいま私が味わった、あの不安や憂鬱《ゆううつ》を、今度はあの女が味わっているのだと思いながら。

　トイレからでてくると、女は洗面所で手を洗い、ポケットからハンカチをだして指先まで丁寧に拭《ぬぐ》いながら、手、洗ったのと訊《き》く。なおも私が黙っていると、女はうしろから私を抱えるようにして、一緒にもう一度手を洗ってくれた。それから、私たちはすでに濡《ぬ》れたハンカチで、順番に手をふいた。

「ちょっとつきあってよ」

女は言い、先に立って歩き始める。私はおとなしくついていった。

女が立ちどまったのは、食堂車に続く狭い通路だった。ミートソースの匂《にお》いがたちこめ、私たちは窓と壁に挟まれて、無言のまま手摺《てすり》に凭れるようにしてそこにいた。窓の外を、単調な景色が流れていく。田んぼ、田んぼ、お百姓、かかし、また田んぼ。べらべらした紙テープのようなしきり、田んぼ、田んぼ、変な看板。単調な震動、単調な列車の音。

「あいつのことどう思う」

窓の外を見たままで、女は言った。

「あいつって?」

あたしの男、と、女は妙にゆっくり一語ずつ発音する。

「ああ」

なんだ、という風に私は言い、それ以上は——つまり質問のこたえになるようなことは——言ってあげなかった。

「あいつ、最低なんだ」

女はくちゃくちゃとガムをかみ、自分の質問に自分でこたえる。

「あたしも最低だけど」

そう言って少し笑った。大人が——少くともたいていの大人が——子供に対して物を言う言い方ではなかった。

「私には、華族さんの血が流れてるんだよ」

私は、女の言葉とおなじ重さになるように、考えながらそう言ってみた。女は私の顔をみる。私たちはまっすぐにみつめあった。たぶん、ほんの二、三秒間。ふうん、とだけ女は言った。通じた、と思った。私たちは、しばらくまた無言で窓の外を眺めた。

「どこまでいくの」

女が訊き、ヒメジ、と私はこたえる。

「ふうん」

再び短い沈黙。ヒメジにはおばあちゃんのうちがあり、ひいおばあさんのうちがある。ひいおばあさんのうちは華族さんのうちで、大きくてひらべったくて、庭が広くて陰気なこげ茶色だ。カーテンは深緑。玄関にある生け花が、奇怪なオブジェみたいにいやらしくくねくねと、枝や葉をのばしている。大人ばかりがたくさん住んでいる、暗くてしずかな邸《やしき》。

私は、新幹線の通路のクリーム色の壁に凭《もた》れ、なんとなくむずかしい顔をして、知らない女と窓の外をみていた。不思議なほどリラックスしていた。窓の外はあいかわらず田んぼばかりだ。このままずっと乗っていられたらいいのに、と思った。

「逃げるところなんだけど」

落ちついた声で女が言った。

「一緒に来る?」

まじめな顔で私に訊いた。肉感的な唇、くっきりした意志的な目。気がつかなかったけれど、この人は衿足《えりあし》がすごくきれいだと思った。

「浜松にね、友達がいるの。とりあえずそこに転がりこんで、そこでね、仕事を探そうと思ってるの」

声をひそめ、大事なことを打ちあけるようにそう言いながら、女は腰にはりついた黒いミニスカートのポケットから、窮屈そうに何かをとりだした。

「通帳」

ますます秘密めかせてささやき、女はその薄っぺらなものをぱらぱらとめくって見せてくれた。こまかい数字がならんでいるというだけで、中身はまるで見えなかったが、

「お金はあるのよ」

と言う彼女の声の真剣さに、私は思わずうなずいていた。

「あんた幾つ？」

女はしゃがみこみ、私と視線を合わせてそう訊いた。十一、とこたえると、じゃあもう働けるね、と言う。じゃあもう働けるね。

「いい？　よく聞くのよ」

左手で私の肩をつかみ、右手で私の髪をなでながら、女は言った。

「いったん席に戻るの。なんにもなかったみたいにね。それで普通にしていなさい。浜松までまだ二十分くらいあるから」

私はでくのぼうみたいにつっ立って、女の声を聞いていた。事の成りゆきをとて

もほんとうとは思えないまま、頭の芯《しん》と手足が硬直したみたいになって、なんだかちょっとぼうっとしていた。

「車掌のアナウンスがあったら、もう一度トイレに立ちなさい。通路で待ってるわ。荷物なんて持ってきちゃだめよ。どうしても必要なものはあらかじめポケットに入れとくの。入らないものはあきらめなさい。いいわね」

私はうなずいた。女は本気らしかった。

「じゃ、先に戻りなさい。アナウンスまでは普通にしてるのよ」


父と母のいる車両に一歩足を踏み入れた途端、頭も手足も麻痺《まひ》が解け、周囲の音が急にはっきり耳にとびこんできた。たったいま交わした信じられない約束を思うと、恐怖で上手く歩けなかった。逃げる？　どこへ？　働く？　どうやって？　私はぎくしゃくと歩いた。ぎくしゃくと一歩ずつ、父と母に近づく。逃げる？　無理よ。そんなことできっこない。私は、どういうのが「普通の顔」だったか懸命に思いだそうとした。逃げる？　ほんとうに？　ほんとうに？　あの男の横を通るときには、恐怖で足がすくんだ。そして、それでも心のいちばん奥で、なにかがそれを盲目的に肯定していた。そうよ、逃げるの。

父と母の顔をみてほっとしたのは初めてだった。三つならびの席の窓際《まどぎわ》に父が、中央に母が座っていて、二人とも、あいかわらず不機嫌の極みのような顔をしていた。父は苦虫をかみつぶしたまま居眠りをしている。

「遅かったわね」

母が言う。険のある声さえなつかしく思えた。

「なにをつけてるの」

母の手が私の頬にのび、つめたい指先があの女のシールに触れた。

「なんでもない」

私は体をねじって顔をそむけ、誰にも触らせないぞ、という気配を全身で発散させた。母はため息をつく。

「勝手にしなさい」

紺とグレーのやわらかなシートに腰かけて、私は両手を握りしめた。訣別《けつべつ》だ、と思った。私はこの人たちと、たぶんもう二度と会わない。おばあちゃんとも、ひいおばあさんともだ。こういう、女の子らしい服も二度と着ない。私は、あの女のような黒いミニスカートをはいた自分を想像した。心臓がこれ以上ないくらい速く打ち始め、手のひらが汗ばんだ。

彼女はもう席に戻っただろうか。

そう思ったが、怖くて確かめられなかった。私はすでに体じゅう恐怖と罪悪感で一杯だったが、後悔だけはしていなかった。もう後戻りはできないのだ。電車の音がそう言っている。熱がでたときみたいな、夢の中で悪者から逃げているときみたいな気持ちで、私は汗ばんだ手のひらを白いワンピースになすりつける。私は、女の太腿にはりついていた紫の蝶と、私のなかに流れている「華族さんの血」のことを思った。その二つは、なにかとてもよく似たものだった。私は体を固くして、車掌のアナウンスを待った。

「トイレ」

私が言うと、母は束《つか》の間《ま》怪《け》訝《げん》な顔をしたが、いってらっしゃい、と言った。

「ハンカチは持ってるわね」

私はうなずく。通路に立ち、勇気をふるいおこして斜め二つ後ろの席を見ると、あの男が一人で雑誌を読んでいた。

一歩一歩が怖《おそ》ろしい決断だった。一足ごとに、人生が——父や母やヒメジが——遠ざかっていく。私はすべてを捨て、あの女と浜松で暮らすのだ。

女はトイレの前に立っていた。緊張した面もちでガムをかんでいる。

「気持ちは変わらない？　無理についてこなくてもいいのよ」

私は重々しくうなずいた。女はやっと少しだけ微笑《ほほえ》むと、私の髪に触れた。

「きれいなりぼんね」

私はうつむいて、女の太腿《ふともも》をじっと見る。白い、むっちりとした太腿。

電車がホームにすべりこむ。アナウンス、軽い衝撃、そして、大きな音と一緒にドアがあく。おもての喧噪《けんそう》。ひどく暑い空気が、ぶわりと流れこんできた。まぶしく晴れた、風のない日だった。

数人の客が降り、女はいちばん最後に——しかしいちばんきっぱりした足どりで——ホームに降りた。ふりむいて、さあ、というように私を見る。

私は一歩も動けなかった。

キオスクに、袋に入った冷凍みかんが並んでいるのが見えた。公衆電話が見え、銀色の大きなごみ箱も見えたけれど、私は一歩も動けなかった。

迷惑そうに私をよけて、乗客がぞろぞろ乗りこんでくる。女は直立不動でしばらく私を見つめていたが、やがてそのぽってりした唇で鮮やかに微笑むと、ドアが閉まるのを待たずに歩き始めた。くらくらするような日ざしのなかに、一人で。

私は胸がつぶれそうだった。絶望に、ふがいなさに、わけのわからない喪失感とかなしみに。

ドアが閉まる。新幹線はゆっくりとしずかに動きだし、私はそこにとり残された。ぼうぜんと、ほっぺたに小さな蝶《ちょう》をつけたまま。

焼却炉

線路ぞいの耳鼻咽喉科《じびいんこうか》のわきにおしろい花のしげみがあって、私はそこを通るたびに、花を一つとることにしていた。べつにおしろい花が好きだったわけではなく、ただそういう習慣になっていたのだ。つつじが咲いていれば蜜《みつ》をすう、ぺんぺん草が咲いていれば実をひとつずつむいて揺らす、それとおなじ。おしろい花が咲いていれば、いつも一つちぎって「釣り針」をつくった。

おしろい花の「釣り針」は、花のすぐ下についている実——はじめは初々《ういうい》しい浅緑でやわらかく、じきに黒く固くなる小さなまるい玉。つぶすと白い粉があふれ、少しの脂気《あぶらけ》とともに指先にひろがる——をそっとひっぱって、するすると糸をたらしてつくる。糸はうすい緑色をしていて、あるところまでひっぱると、つっかえて自然にとまる。そうすると、実がぶらさがって釣り針のような格好になるのだ。

おしろい花は、夏の日ざしのなか、暑苦しく濃いピンク色に咲いていた。

線路ぞいの道には、耳鼻科のほかにも小さな店がいくつかあったが——手芸用品屋や電器屋、それにハリウッドという名前の理髪店——、人通りの少ない、さびしい道だった。

ハリウッドの角をまがると駄菓子屋があり、ときどき店の前に男の子たちがあつまっていた。そういうとき、私はそこを通るのがいやだった。男の子たちはたいてい自転車に乗ってきていて、それをそのへんに停めたまま、ひとところにかたまって立っていた。ある種の感嘆語——うそだろ、とか、ばかじゃねえの、とか——をばかに大きな声でさけぶ子がいて、私はそれがとても怖かった。鳥の鳴き声のようにきこえた。事実、男の子たちはそういう声をだすときに、顔を赤くして口をとがらせ、にわとりのように細い首に筋を浮きださせたりするのだった。何人かは必ずアイスキャンディを食べていて、そういう子の口からは、赤く染まった毒々しい舌がのぞいていた。

私はいやな子供だった。すぐ嘘《うそ》をついた。学校が嫌いだった。他の子供が嫌いだったし、鉄製の窓枠も天井の蛍光灯も嫌いだった。校庭もすのこも家庭科室も、校内放送のはじめと終りに入るぶつっという音も。

あの頃は嫌いなものが多すぎて、それが普通になっていた。おかげで、嫌いではない数少ないものたち——裏庭とか水道とかペンキのはげた朝礼台とか——をとてもいいもののように思っていた。

私は目立たない子供だったと思う。おとなしかったし、成績はとくによくも悪くもなかった。みんなのなかで、息をつめてじっとしていればよかった。めんどうくさくなると保健室にいった。保健室には眼鏡をかけた女の先生がいて、このひとはやさしかった。

「少し寝ていく？」

私が保健室に入ると、彼女はまずそう訊《き》いた。はじめからそうだったわけではないと思う。いつのまにかそうなった。

そこで寝ていても楽しくはなかった。それどころかひどく不安な、心細い気持ちになった。毛布の下で体を固くしていると、ついたての向うで保健の先生のたてる小さな物音が、いちいち拡大されて耳につく。ついたてには襞《ひだ》のよった白い布がはられ、シーツは、毛布の下で膝《ひざ》を立てているためにこんもりとふくらんでいた。

「早退する？」

それでも寝ていると、保健の先生はそう訊いた。なぜ彼女がそんなに親切だったのかわからない。でもとにかく彼女は担任と話をつけ、家に電話をして、母に迎えにくるように言ってくれた。

そのあいだ、私はおとなしく待っていた。窓から無人の校庭がみえ、校庭ではスプリンクラーがせわしなくまわっていた。

学校のなかで、私にとって親しい場所に焼却炉があった。私は、そこにいろいろなものを捨てにいった。焼却炉は体育館の裏にあり、体育館のわきにはおしろい花が咲いていた。

おしろい花の匂《にお》いが、昼よりも夜の方がずっと濃《こま》やかだと知ったのは、九歳の夏だった。夏休み、巡回影絵の一団が学校にきた。プロではなく、ボランティアの学生たちだった。

公演は一日だけ、体育館でおこなわれた。だしものは「赤いろうそくと人魚」で、たいして上手ではなかったが、影絵のほかに歌やゲームや紙芝居もあって、盛りだくさんだった。学生たちはその日体育館に泊ることになっていたので、公演後は子供たちと存分に遊んでくれた。手あそびとかなわとびとかキックベースとか。

もっとも、生徒たちはそういうことをしたいというよりも、みんな年上の見馴《みな》れないひとたちに遊んでもらうのが嬉《うれ》しくて、まとわりついているようだった。女の子たちはやさしげなおねえさんに周到に甘えていたし、男の子はたのもしいおにいさんたちを相手に、心おきなく乱暴な言葉をつかってたのしんでいた。

私が体育館にのこっていたのは、しかしそういうことをするためではなかった。学生の一人を、もうしばらくみていたいと思ったのだった。

それは、背が高くやせた男の学生で、少しながい髪をしていた。歌をうたうとき、一人だけ無表情だった。とくに仏頂面《ぶっちょうづら》というわけではなく、ただ無表情だったのだ。普通以上ににこやかな人々のなかにあって、それはなにかとてもつよく心をひいた。学生たちが中途半端《はんぱ》ににぎやかに、歌やゲームをくりひろげているあいだじゅう、私はじっと彼だけをみていた。たくさんの歌声のなかから、彼の声をききわけようと耳をすました。

浅黒い肌は少し不健康なふうにみえたが、わらうと空気にぽっかりと穴があき、まわりの音が一切そこにすいこまれてしまうような気がした。しずかで深い、とがった笑顔。わらったひょうしに、削《そ》げた頬に憂鬱《ゆううつ》のかげが落ちる。私はそのたびに胸をつかれた。みているのは苦しかったが、目をそらす気にもなれなかった。

公演後も、彼は自分から子供に近づくことはしなかった。子供がやってくれば相手をしたが、それにしても愛想がいいとはいいかねた。それで、他の学生ほど子供に囲まれてはいなかった。

体育館は、磨かれた木の床と上履きの、むっとする匂いに満ちていた。舞台には黄色い房飾りのついた紫色の緞帳《どんちょう》がかけられ、金糸で校章が縫いとられている。随分と高い位置に窓があり、おかげで枝と空しかみえなかった。

私は、隅に積みあげられたマットの上に立っていた。たたまれたマットはうす汚れて埃《ほこり》くさく、上履きの裏にずしりと重たい感触が伝わる。天井から太いロープが五、六本吊《つ》ってあり、ロープはいちばん下に結び目ができていて、よじのぼって遊べるようになっている。私はマットの上に両足をふんばって立ち、片手でロープの結び目に触れながら、あの学生を見守った。大勢の子供のなかにいるといつもそうであるように、自分に居場所がないと感じながら。

学生は数人の子供に手影絵を教えていた。ながい指が鳥をつくり犬をつくり、カエルをつくりきつねをつくる。

そこからは体育館じゅうが見渡せて、一種客観的な気持ちになれるので安心だった。私はそういう場所が好きだった。

目があったとき、私はべつに慌《あわ》てたりしなかった。目をそらすという行為を覚えたのはもっとずっとあとになってからだ。しばらくみつめあったあと、学生の方が目をそらした。がっかりした。彼は、まるで私などみなかったかのように、自然な動作で他の子供の相手に戻り、私は小高いマットの上にとりのこされた。

焼却炉に捨てたもののなかには、たとえば牛乳壜《びん》のふた容《い》れがある。給食のときに班ごとに使う容れ物で、母親がつくる。廃物利用だ。構造は簡単で、二つ重ねたいちごパックのあいだに布をはさみ、全部一緒に口をかがる。はさむ布によって、いろいろな色柄の容器になった。牛乳壜のふたなどそれぞれが捨てればよさそうなものだが、ともかくそういう容れ物を使うことになっていたのだ。学期のはじめに、みんな雑巾《ぞうきん》と一緒に提出する。

母も、刷り物の指示どおりにそれをつくった。布はあかるい黄緑色で、小さな白い花がいちめんに散っていた。口は紺色の紐《ひも》でかがってあった。

提出された容れ物は積み重ねて部屋の隅に置かれ、給食の時間になると当番が配った。どれを使ってもよかった。ふた容れはすごくたくさんあったし、そんなものの柄など誰も気にしていなかった。

私は、母のつくった容器がよその机に置かれているとそわそわした。落ちつかないのだ。母のそれが特別気に入っていたわけではない。もっと色鮮やかな花柄や、洒落《しゃれ》たピンストライプのものなどいろいろあって、それらにくらべるとまるで地味で目立たなかった。ただ、それはとても母らしいものだった。

私はある朝はやく登校し、母のつくったふた容れを焼却炉に捨てた。夏で、清潔な太陽が白く輝いていた。

捨ててしまうと私は心からほっとした。

体育館の内にも外にもそこらじゅうに、校内放送で下校の合図が流れだす。まのぬけた音楽、上級生のくぐもった声。私はマットの上に立ったまま、ロープをつかむ手に力をいれた。

普段、私は学校がおわるとすぐにうちに帰ったので、下校の合図をきくことは滅多になかった。それでも、たまに図書室で本を読んでいたりして、それをきくとたちまちいやな気持ちになった。胸のなかが不穏に粟立《あわだ》つ。そして、そういうときにきまって両足のあいだがすうすうするような、腰とお腹《なか》のあたりが空洞になってしまったような、いかにも心ぼそくて頼りない気持ちがするのだった。

「帰らないの?」

横から声をかけられ、みるとあの学生が立っている。やさしい声をしていた。

「降りられないの?」

私は首をふり、ぶ格好にはみだしたマットの角を足場にして、すとんと手際《てぎわ》よく床に降りた。

「おさげが跳ねた」

学生はわらった。

「気をつけて帰るんだよ」


こんなこともあった。

工作の時間に小さな家をつくることになっていた。空き箱だの端ぎれだの、利用できそうなものをそれぞれ家から持ってきてつくる。庭の柵《さく》はマッチ棒で、煙突はマーブルチョコレートの筒で。

始業前の休み時間に、私はそれをみつけた。ふいに目にとびこんできたのだ。なめ前の机の上に、大小の箱やアルミ箔《はく》、毛糸くずなどと一緒におきざりにされていた。透明なプラスチックでできたセロテープのパッケージ。窓だ、と、一目みてわかった。具合いよくとびだした形をしているので、ぱりっとして美しい出窓になるだろう。

盗むのは簡単だった。立ちあがってまっすぐ前に歩き、教壇の横の扉から廊下にでる。途中でほんの少しだけ、手をのばせばいいのだ。小さな窓を手のひらに収めて、そのまま廊下にでればいい。大切なのは、とってすぐにポケットに入れたりしないことだ。たとえ手のひらに収まりきれていなくても大丈夫。知らん顔で廊下にでて、それからゆっくりしまえばいい。私のように目立たない、おとなしい子供にとって、休み時間の教室はむしろ人目のない場所なのだった。

じきに、窓の持ち主が席にもどって、セロテープのパッケージがないと言ってさわいだ。そのときになってやっと、私はいま自分がそれを使うのは、危険な行為だと気がついた。

もったいない。私はほとんど非難する気持ちでななめ前の席の子をみた。さわぎたてなければ使ってあげたのに。

階段をおりる足どりは軽やかだった。上履きのまま下駄箱を通りすぎ、渡り廊下を通って体育館の裏にまわる。焼却炉はやさしく頼もしいたたずまいでいつもそこにあった。錆《さ》びて、葡萄色《ぶどういろ》に近い茶色になった四つ足のかまど。

ポケットからだすと、それはもはやぱりっとした美しい窓になるはずのものなどでは全然なくて、ただのセロテープのパッケージ、ちっぽけでつまらないごみなのだった。私はためらうことなくそれを捨てた。

「……どうしたの？」

帰ろうとしない私を見おろして、学生が不思議そうに尋ねた。きれいな目をしている。私はどうしていいかわからずに、両方のかかとを上げ下げした。

「何年生？」

膝をまげ、まげた膝に両手を置いて、学生は私の顔をのぞきこんで訊いた。

「四年生」

私はこたえ、彼の澄んだ目をみつめ返す。

「さっきずっと俺をみてたでしょ」

私はうなずいた。

「どうして？」

「……どうしても」

私たちはいろんな話ができる。きっととても気持ちがあう。それを相手がわかっていないのがもどかしかった。

「うちは遠いの？」

「ちょっと遠い」

そう、と言って学生は膝をのばし、左手を私の頭に置くと、気をつけてね、と言って微笑《ほほえ》んだ。大きな、温かい手。私はなんだか泣きそうになる。学生は左手を、頭をなでるふうにではなく、そっとさわるように頭にのせた。遠慮がちに。そして、そのまま背中を向けて歩いていった。影絵だの紙芝居だの人形だの、道具のつみあげられた一角に。仲間のいる、彼の属している場所に。

夜になっても、私はその学生のことを考えていた。彼のもつ何かが私をひきつけた。それは確かだった。もう一度会いたいと思った。会って、あの学生にも気づいてほしかった。私が気づいていることに。

次の朝九時に、彼らは学校をでることになっていた。見送りにいけば会えるはずだった。そして、私はそれでは遅いことを知っていた。いつものように父親と銭湯にいき、お風呂《ふろ》あがりにつめたいりんごジュースを買ってもらって飲んだあと、私は学校にいった。父親には、ノートをとりにいくと嘘《うそ》をついた。そのノートがないと宿題ができないから、と。父親は校門まで来るとつないでいた手をはなし、ここで待っているからとっておいで、と言った。正門は閉まっていたが、すぐ横の通用門があいていた。

体育館の扉はちょうど人一人ぶんくらいの幅にあいていて、なかからあかりと人の声がもれていた。学生たちは食事中らしい。私は息をつめ、扉の陰からなかをのぞいた。

車座になった学生たち、ポテトチップスの袋、やきとりの匂《にお》い。

どきどきした。悪いことをするとき特有の、心臓の裏側が汗びっしょりになる感じ。目をこらしてよくよくみたが、そこにあの学生はいなかった。たぶんたっぷり一分間、私は学生たちのどんちゃん騒ぎを眺めたと思う。

仕方なくひき返そうとしたとき、裏の方でぴしゃぴしゃと音がした。何の音かはすぐにわかった。音のする方に近づくと、おしろい花のしげみに人が立っていた。水音をかくすように虫の声がする。

あの学生だった。横顔が少し上をむいている。細い水音が二、三度途切れ、ついに完全にとまるまで、私はそこに立って待った。学生のうしろには錆びた焼却炉が、月の光をあびて立っている。

「こんばんは」

学生が歩いてくるのを待って、小さな声で私は言った。学生はとてもおどろいた顔をした。

「どうしたの？　一人で来たの？」

私は返事をしなかった。かわりに、

「名前、なんていうの？」

と訊《き》いた。学生はすずきじんただと言った。

「どうしたの、こんな時間に」

すずきじんたはおなじ質問をくり返し、私はただ彼の顔をみていた。わかってもらえるはずはなかった。

「お父さんと来たの。お風呂の帰り」

そう言うと安心したらしく、彼はにっこりとわらった。

「ああ、そう、お父さんと来たの」

正面に立つと、私の目はすずきじんたの太腿《ふともも》のへんだった。私は子供だった。

「ノートを忘れたから」

私はかなしみでいっぱいになりながら言う。

そう、と言って学生はもう一度わらう。おしろい花の濃いピンク色が、まるで闇《やみ》を吸収するように、深く、つめたく、冴《さ》え冴《ざ》えとしている。駄菓子屋の前でたむろしている男の子の、意地悪な舌とおなじ色だと思った。

「帰らなきゃ」

私は言い、学生の返事を待たずに駆けだした。

次の朝、学生たちは帰っていった。子供たちがたくさん見送りに来て、九時の予定がぐずぐずと一時間のびた。プレゼントを渡す子もいたし、手紙をかくから住所を教えてほしいとねだる子もいた。みんな校庭に立っていた。朝礼のときみたいに。

私は少しはなれた場所に立ち、のぼり棒によりかかってそれをみていた。よく晴れた暑い日で、子供たちの何人かは帽子をかぶり、女の学生はしきりにハンカチで首すじをぬぐった。

私はあの学生だけをみていた。彼が、私のことなどすぐに忘れてしまうだろうことはわかっていた。

リーダーらしい、眼鏡をかけた男の学生がすすみでて、お礼の挨拶《あいさつ》を始めた。私はすずきじんたのところにまっすぐに歩いた。

すずきじんたはしゃがんで私と視線をあわせたが、どうしたの、とは訊かなかった。やせた顔、すっきりとした目。私はその首に両腕をまきつけた。頭はひとかかえもあった。

私の腕のなかで、すずきじんたはくつくつとわらった。

「どうしたの？」

手をはなすと、可笑《おか》しそうにそう訊いた。

私は自分もその場にしゃがみ、すずきじんたの左手を、私の腿の上にのせた。うすいスカートを通して体温が伝わる。

「目をつぶって」

私が言うと、すずきじんたは素直に目をとじた。私はポケットからボンナイフをだすと、それをひらいてゆっくりと彼の左手に切りつけた。そおっと。

もう少しひっかかるかと思っていたのだが、皮膚はおどろくほどあっけなく静かに切れた。三センチほどの切り口に、すぐにうすく血がにじむ。

「いたっ」

すずきじんたは小さな声をあげ、目をあけたが手をひっこめはしなかった。私の顔をじっとみる。私は目をそらさなかった。炎天下の校庭。まわりの声が遠い音になる。

ふいに彼の目が微笑んだ。

「ひどいな」

傷口に視線をおとしておだやかに言う。

どうしていっちゃうの、私はここにいるのに。

私は心のなかで言った。

「元気でね」

すずきじんたは私の頭に左手をのせる。大きな、温かい手。すずきじんたの左手は、私の頭蓋骨《ずがいこつ》にとてもしっくりとなじんだ。

立ちあがると、傷口を吸いながら大きな荷物を右の肩にかつぎ、すずきじんたは仲間と校門をでていった。私は地面にしゃがんだまま、頭のてっぺんにお日様があたるのを感じていた。すずきじんたの手の感触の残る、ちっぽけなおさげ頭のてっぺんに。

それから私は立ちあがり、体育館の裏にまわると、ボンナイフを焼却炉に捨てた。おしろい花は、白っぽい日ざしのなか、すっかり艶《つや》を失って揺れていた。

ジャミパン

母は、あんぱんやクリームパンにくらべてジャムパンを格下のように考えていて、軽蔑《けいべつ》をこめてジャミパンと呼んだ。それでいてそれを嫌いというわけでもなく、パン屋にいくと、ついでみたいによく一つ買ってきた。ジャミパンはシンプルな楕円《だえん》形《けい》で、なかに、甘い、べったりした杏《あんず》ジャムが入っている。

「食べる?」

買ってくると、母は私にそう訊《き》いた。そして、私がうなずいてもうなずかなくても、かまわず半分ちぎってわけてくれるのだ。ジャミパンはぼそぼそして、のみこんだあともジャムの甘さが口のなかに残った。

私には父親がいない。死んだり別れたりしたのではなく、はじめからいないのだ。それでも、とくべつ淋《さび》しいと思ったことはない。途中でいなくなればまた違ったのかもしれないけれど、はじめからいないのだから淋しがりようがなかった。

それに、信一叔父がいた。

信一叔父は母の弟で、私の父親がわりの人だ。私は、ごく小さいときから母に、父親が要るときには叔父さんでなんとかやりくりしなさいといわれていた。やりくりというのはひどく妙な言いまわしだが、母の語彙《ごい》はしばしばそんなふうだった。

事実、私はちゃんとやりくりをした。父の日には信一叔父の似顔絵をかき、粘土細工の灰皿をプレゼントし、信一叔父ちゃん、という題で作文も書いた。九歳から十一歳までは、バレンタインデイのチョコレートもあげた。

叔父の方でも、じゅうぶんにそれに応《こた》えてくれた。叔父と母は仲のいい姉弟《きょうだい》だったのだ。朝に弱い母のかわりに、私を保育園に送り届けるのは叔父の役目だったし、叔父は、私が高校を卒業するまで、ほぼすべての父親参観日に出席してくれた。運動会や学芸会、それに進路相談の三者面談にまで、母のかわりにきてくれたこともある。母が私を産んだとき、信一叔父は十九歳で、店の前に頭の大きな男の子の人形——ナショナルボーイという名前だと教えてくれた——のある電器屋で働いていた。

私が生れたばかりの頃は、三人で一緒に住んでいたこともあるらしい。その後叔父は別のアパートに越したが、母と私の住む団地から、歩いて五、六分の場所だった。

当時私たちの住んでいた団地のなかは緑が多く、私たちの棟のすぐ横にも大きな木があって、初夏になると、きまってすーんとつきあげるような匂《にお》いがした。私はその匂いが嫌いだった。のども胸も得体の知れないかなしみでふさがれてしまうようで、葉っぱの匂いとは思えなかった。竹の子の蘞《えぐ》みにも似て、目にしみるみたいだと思った。

「この匂いが嫌いなの？」

母にそう訊かれたことがある。私は十歳になったばかりで、むうっとたちこめるその緑の匂いに、歩きながら顔をしかめた。母は、それをみて可笑《おか》しそうにそう尋ねたのだった。

私は眉間《みけん》にしわをよせたままうなずいた。母はすこしだけわらった。

「これはね、新しい生命の匂いなのよ。根っこが腐る匂い。初夏になって、古い根っこが腐って新しい根っこがでてくるの」

「根っこが、腐るの？」

そう、と言って、母は自信たっぷりにうなずく。

「腐ったとこへ、新しい生命があふれてくるのよ」

母はときどきでたらめを言ったが、母自身はそれを本気で信じているようなところがあった。

根っこが腐る匂い。新しい生命の匂い。

私は大きな木を見上げ、なにかが胸を重苦しく塞《ふさ》ぐのを感じた。

母は夜働いていた。よく男の人に送られて帰ってきたが、その人たちを家のなかへ入れることはなかった。

ときどき恋人ができた。恋人ができると、母はお休みの日にもでかけていった。私に遠慮などしなかった。母の、でがけに香水をつけるしぐさが好きだった。膝《ひざ》の裏と耳のうしろに、すばやく、おまじないみたいにつけるのだ。母がでていったあと、部屋に残っている甘い匂い。玄関にとりのこされた私の、はだしの足指。奥の部屋に戻って畳にうつぶせになる。奇妙なくらい風とおしがよくて、しずかだった六畳間。

母は、美人というわけでもないのによくもてた。そして、これは私が母から学んだことの一つなのだが、もし男の人の興味をひきたいのなら、結局のところ、問題なのは美人かどうかということではなく、美人らしくふるまうかどうかなのだった。

母はそうふるまった。

私の好きだった行事に家庭訪問がある。教師が個々の家のなかに入ってくる、という異常事態が単純におもしろかった。学校は教師の庭だと思っていたので、その教師が自分のテリトリーをでて——そうするとまるで普通のひとのようにみえた——、窮屈そうにしているのをみるのは興味深かった。少くとも、うちのなかでは私が優位だ。

小学校の六年間を通じて、私には三人担任がいた。二人が女で一人が男。

「きれいなお母さんだな」

男の担任は二年続けて帰り際《ぎわ》にそう言ったが、女の担任はどちらも何も言わなかった。

教師が帰ると、母は必ずなにかひとことコメントをした。おもしろみのない男ね、とか、感じの悪い女、とか、善さそうな人じゃないの、まあちょっと愚鈍ではあるけれど、とか。私は、それを聞くのが大好きだった。学校で失われる客観性を、母の言葉がとり戻させてくれるからだった。

家庭訪問はきまって夏で、クーラーなどなかった我家の居間で、教師はみんなハンカチで汗をぬぐった。白いメッシュ状のカヴァーをかけられて、首をふるたびにかくんと小さな音をたてる扇風機は、緩慢な動きでゆるゆると暑さを助長する。コップに触りもしないのに、麦茶の氷が溶けて落ちる音。

襖《ふすま》をへだてた隣の部屋で、私はそれらの気配のいちいちに、耳を澄ませていた。

家庭訪問はすぐにおわった。私は話しあうべき問題のある子供ではなかったから。遅刻も欠席もなく、成績がよく、体育や家庭科や、委員会活動もまじめにやった。掃除もさぼらなかったし友だちもつくった。

母は、私の成績がいいことをいつもほめてくれた。答案を持って帰るたびに、まあえらい、あなたは頭もいいのね、と言って私の頭を抱きしめた。もっとも、たまに不本意な答案を持って帰っても母の反応はおなじようなもので、しょげることないのよ、あなたはこんなにかわいいんだから、と言ってやっぱり頭を抱きしめた。

私が十歳の年に、信一叔父が結婚した。

ちょっと複雑な気持ちだったが、お嫁さんになる人を一目みて安心した。母の方がきれいだったからだ。

あの夏。

母にはひどく痩《や》せた若い恋人がいて、恋愛が好調なのでたのしそうだった。信一叔父は仕事が終るとよく遊びにきたが、恋人のことは私にも母にもなにも言わなかった。

母がでかけてしまった日曜日など、私の方が叔父のアパートに遊びにいったりもした。叔父の部屋は狭く、馬鹿《ばか》げて散らかっていたが、日なたくさくて居心地がよかった。おしいれを洋服だんすと本箱のかわりにしていたので、たたんだ布団《ふとん》がつねにだしっぱなしになっていて、ソファーのつもりでそこに腰掛けた。部屋の隅に、小ぶりで端正な、つやつやと黒いステレオセットが大事そうに置かれていた。

私たちはよく歌をうたった。叔父の歌は全然上手《うま》くなかったが、歌をうたうとびっくりするくらいやさしい声になった。私は叔父の、その声が好きだった。叔父の好きな歌は「傘がない」で、その曲が入っているアルバムを、よく私にも聴かせてくれた。

私が叔父に教えてあげた歌もある。よーくたの歌だ。題名は忘れてしまったが、友だちが訪ねてくる歌で、私と叔父は、歌詞のはじめの部分から、よーくたの歌、と呼んでいた。こういう歌だ。

よーくたずーねてくーれたねー

よーくまあー　ねーえきみー

よーくたずーねてくーれたねー
まあまあかけたーまえー
きょーうまでーのできーごとをー
ぼーくにみんなきかーせてよー
夏休みは退屈だった。子供だけが所在ない。叔父の部屋には、なぜだか、ビニールでできた大きなウルトラマンの人形があり、うすく埃《ほこり》をかぶったまま、空をとぶような恰好《かっこう》で天井に吊《つ》るされていた。
母はときどき、仕事から帰って眠らずに起きていて、私が朝ごはんを食べるときに一緒にコーヒーをのんだ。化粧をおとすと、母の目はひとまわり小さく落ちくぼむ。土気色の肌にきゅうりの輪切りをのせていたりした。椅子《いす》に片膝を立てた行儀の悪い恰好ですわり、朝食の用意をする私の手際のよさをほめた。
「毎日たのしくやってるの？」
きゅうにそんなことを訊いたりもした。
「うん」

私はまじめにうなずいて、プールで三級をとったことなどを、おずおずと報告する。母はたいてい気に入りのローブを着ていて、それは本人いわくの「BB《ブリジット・バルドー》ばり」に丈が短かく、白いパイル地に派手な花柄のついたものだった。

「心配することないのよ」

そんなことも言った。

「私は十分なお金を稼いでくるし、よその父親にできることで信ちゃんにできないことは一つもないんだから」

そのとおりだった。

しかし、母は、私に信一叔父を、パパとかお父さんとは冗談にも呼ばせなかった。母のように信ちゃんと呼んでもだめで、私はどんなときも、誰に対しても、きちんと、信一叔父ちゃん、と言わなければならなかった。

可笑しいのは、それにもかかわらず、叔父が私のほんとうの父親なのだという噂《うわさ》がまことしやかに流れたことだ。おなじ団地に住むひとや、同級生のお母さんたちがそんな噂をしているのを知っていた。

母は、下着をつけるのが嫌いだった。それで、一見普通の服装なのに、スカートをめくるとなにもつけていない、ということがよくあった。

「風がとおって気持ちがいいから」

だと言っていた。それをきくと信一叔父は顔をしかめて、

「お腹《なか》をこわすぞ」

と言った。私も何度かまねをしてみたが、さっぱり落ち着かず、五分ともたなかった。

叔父が、結婚相手をはじめてうちにつれてきたとき、私も母も、ほとんど裸のような恰好をしていた。暑い日だったのだ。スリップ一枚で、うちじゅうで一ばん涼しい台所の床にならんで横になり、ラジオを聴いていた。少しだけ足をあげ、あしのうらを冷蔵庫の扉にくっつけて。

台所は暗く、ひんやりとして、私は、流し台の向うの小さな窓をみていた。窓はあいていて、濃い緑の木だけがみえた。枝と葉っぱ、ごく弱い風。まひるの、しず

かな空気。

「こんちは」

叔父は、いつものようにちっともはりあげない声でそう言うと、そのままなかに入ってきた。

「叔父ちゃん来たね」

私が言うと、母はだるそうに腕をもちあげ、日ざしをさえぎるみたいなしぐさで目の上にだらりとのせて、そうね、と言った。私も母も、足を冷蔵庫にくっつけたまま動こうとしなかった。

足音が多い。そう気がついたのとほとんど同時に、

「こっち」

という、誰かを案内するらしい叔父の声がした。母は目をみはるすばやさでがばりと体を起こし、テーブルの陰にかくれると、

「こっちに来ないようにして」

と、小声で私に命令した。

私がのろのろと立ちあがると、戸口に信一叔父の姿があった。うしろにもう一つ、小さな人影がみえる。ずっと窓の外をみていたせいで、目がよくみえなかった。二人とも黒い影のようにみえた。

「いらっしゃい」

それでも、私は仕方なくそう言った。

「あやちゃんは?」

叔父は、きまりが悪そうに訊《き》いた。女の人を連れてくることには慣れていなかった。あやこ、というのが私の母の名前だ。

「いる」

私は短くこたえ、スリップ姿のまま二人を居間に通した。叔父が、腰をおろしながら扇風機のスイッチをいれる。

「待ってて」

そう言うと、私は襖をたてきった。隣の部屋で母が着替えられるように。信一叔父の連れてきた女の人は丸顔で、長い髪が重たげだった。

二人は十月に入籍するつもりだと言った。母は見事なくらいにっこりと微笑《ほほえ》んで、おめでとう、と言い、私は黙ってそばにすわっていた。母たちがそこでどんなことを話したのかはよく憶《おぼ》えていない。気づまりで、誰の言葉もそらぞらしくひびき、扇風機だけがいつもどおり正直に動いていた。家庭訪問みたい。そう思った。

信一叔父とその恋人は、夏のあいだ何度も遊びにきた。おみやげに、ケーキや桃を持ってきたりしたのでおどろいた。信一叔父はそれまで一度だって、うちにくるのにおみやげを持ってきたことなんてなかった。

「たいした女じゃないね」

一度、母にそう言った。洗った水着をベランダに干しながら、かるい気持ちで言ったのだったけれど、畳にねそべっていた母はこわい顔をして、

「そんなことを言うもんじゃないわね」

と言った。まるでどこかの良識的なお母さんみたいに。

お母さん。私は、母がそんな生き物じゃないことを神様に感謝していた。

「いい？　信ちゃんにそんなこと言ってごらんなさい、絶対承知しないから」

私は目がまるくなった。言うはずがない。

「言わないよ。信一叔父ちゃんの結婚に文句なんかないもん。でもあの人はたいした女じゃないじゃない。ママだってそう思ってるでしょう?」

母がなにも言わなかったので、私は失望した。まったくがっかりだった。

「遊びにいってくる」

私は言い、おもてにでたが、こういうときいつもそうであるように、私には行くところも行きたいところもべつになかった。近所をやみくもに歩きまわったあと、団地の庭でぼうっとしていた。庭には貧弱なひまわりが五、六本、だらりとうなだれて咲いていた。大きな木にもたれて目をつぶる。初夏になると「根っこが腐る匂《にお》い」を発散する大きな木。いまはさわさわと揺れる葉っぱの豊かな匂いがする。私は、母がいるはずの部屋の窓を見上げ、それから幹の反対側にまわってしゃがんだ。そこなら、たとえ母が窓から顔をだしても、私の姿はみえないはずだった。葉っぱの一枚一枚が、高い位置から影をおとしている。すっぽりと、その影の中に入っているのは安心な気持ちだった。立てた両膝のあいだをのぞきこんで地面をみつめる。

ふいていく風を、汗ばんだ額で感じていた。

夏休みもおわりに近い日に、信一叔父とその婚約者、その両親、それに母と私の六人で、お鮨《すし》屋さんの二階の座敷でお昼ごはんを食べた。顔あわせとお祝いの食事だ。叔父はネクタイをしていた。お酒に弱く、のむとすぐに顔が赤くなる体質だったが、赤くなったままさらにもっとのんだ。婚約者の父親は、信一叔父の腕やら肩やらをぽんぽんとたたき、何度も、まあよろしく頼むよと言った。

叔父は、結婚したらいまのアパートをひき払い、もう少しひろい部屋にひっこすつもりだと言っていた。でも遠くにはいかないし、いままで通り参観日にはいくからね、とも。（そして、彼は約束を守った）

婚約者とその母親は、あまりしゃべらなかった。ときどき、手を口元にやって笑う。お酒はまったくのまなかった。

お鮨を食べ、壜《びん》入りの色水みたいなオレンジジュースをのみながら、私は、お酒をのまない女は嫌いだと思った。大きくなったら、絶対にお酒の強い女になろうと決心した。

帰りみち、母はパン屋によってジャミパンを買った。

「食べる？」

うちに帰ると、麻の、くるみボタンのついたよそいきのスーツを台所で脱いで、脱いだ服のなかにつっ立ったまま、すぐに訊く。

「おなかいっぱいだよ」

私は言ったが、母はかまわず袋をやぶき、パンを半分にわった。

「暑いね」

私は言い、うちじゅうの窓という窓をあけ放った。夕方の風に、カーテンが弱く揺れる。

「いい気持ち。青白い空だね」

よく知っている、団地の庭のこの時間の匂い。私は鼻をふくらませた。

ふりむくと、母はさっきの場所に立ったままジャミパンをかじっていた。スリップ姿で、両手にパンを、半分ずつ持って。

私は苦笑した。

たいした女じゃないじゃない。
母の顔が、たしかにそう言っていた。

薔薇《ばら》のアーチ

海水浴は健康のためだった。

夏休みは毎年きまって新幹線で祖父母のうちにいき、祖父母のうちにいるあいだ、毎朝きまって父と海にいった。

私は身体《からだ》の弱い子供で、とくに気管支と皮膚はすぐに調子が悪くなり、しょっちゅう熱をだしたり湿疹《しっしん》をつくったりしてお医者様の厄介になっていた。とくべつに持病があるわけでもないのに身体が弱いなどというのは「甘えている」、というのが父の考えで、父によれば、私が学校でいじめられるのもそのせいなのだった。

海水浴は私の身体にとてもよく、おまけに毎日続けなければ意味がない、のだと、父は信じていた。

海は灰色だった。

朝早いせいか波が高く、海水浴客もまだまばらだ。父と私は砂浜にならんで立って、準備体操をする。体操をしているあいだ、私は下ばかりみていたらしい。砂に半分埋まった牛乳壜《びん》や、自転車のベルらしいもの、ひからびたとうもろこしの芯《しん》。そんなものばかり目についた。

父の海水パンツは紺色で、私の水着も紺色だった。

体操がすむと、父はずんずん海に入っていき、私はそのあとを追う。波の音、潮の匂《にお》い、べたべたする風の感触。

そうやって海に入るとき、私は毎回、悲壮な決意をして父についていった。

私の通っている小学校は東京のはずれにあり、一学年三クラスの、平均的な規模の区立の小学校だった。私は、二年生になったころからいじめられだした。物をとられたり隠されたりはいつものことで、女の子は徐々に口をきいてくれなくなり、男の子はうしろからランドセルにとびげりをした。

海で、父の教え方は厳しかった。

毎年、最初に海に入る瞬間がもっともいやだ。ひたひたと、まず足のうらが、砂の上で泡立っている水に触れる。ついで足指、足首からふくらはぎ、膝《ひざ》。このへんまでで、上半身にはたちまちとり肌がたつ。水に足をとられて歩きにくい。水音をたて、太腿《ふともも》で水を切りひらくようにして体を前におしだす。水が胸までとどき、波が私のあごをぬらすようになっても、父はまだ腰までしかつかっていなかった。私は両手を前にのばし、おぼつかない足どりで、あごをあげて進んだ。

私はかなづちではなかったが、海は苦手だった。足のとどかない場所までつれていかれるので、いつも水が口に入った。

空も海も灰色で、ゆらゆらと水面が揺れ、三半規管が混乱する。

父は痩《や》せていたが、泳ぎは上手《うま》かった。細い腕をしなわせて水をかく。父のクロールは力強く、安定していて見事だった。

水からあがると母が待っていた。バスタオルをひろげ、にっこりとわらって。かわいたタオルはあたたかく、秩序と安心の匂いがした。

「おつかれさま」

母は、父にではなく私にそう言った。父には、

「波が高いですね」

とか、そういう、感想のようなものを言うのだった。

母はながい髪をうしろで束ね、丈のながいスカートにゴムぞうりをはいていた。

「はやく帰っておもちを食べましょう」

私の手をとって言う。泳いだあとはおもち、ときまっていた。

父と母と私と、ならんで祖父母のうちへ帰った。みんな言葉少なで、はいているぞうりだけがきゅうきゅう鳴った。

泳いだあと、私はぐったり疲れてしまい、あまり食欲がなかった。それでも、母の焼いた磯辺巻《いそべま》きを、無理矢理一つ、身体に収めた。おもちは胸につっかえる。

宿題帖《ちょう》は、表紙に本の絵がついていた。本と鉛筆と花びんの絵。朝食がすむと、私はこの宿題帖に書き取りをして、算数のプリントをする。それから窓がまちに腰掛けて、足をぶらぶらさせながら庭を眺めた。庭では祖父が、ランニングシャツに

半ずぼん、麦わら帽子といういでたちで、片手に琺瑯《ほうろう》びきの缶、片手に先がぎざぎざになった火ばさみを持って、木についた毛虫を一匹ずつとりのぞいていた。毛虫は缶にいっぱいになる。いっぱいになると、祖父はそれを生きたまま焼いてしまう。また、つまんだ毛虫をうっかり地面に落とすことがあり、そうすると、祖父はサンダルばきの足で、落ちた毛虫を躊躇《ちゅうちょ》なく、即座にらくらくと踏みつぶすのだった。私は、祖父の仕事ぶりを眺めているのが好きだった。

午後は退屈なので、一人でおもてにでて遊ぶ。近所に小さな文房具屋があって、そこをのぞくのはたのしみだった。東京ではみかけない消しごむや、筆箱や小さな千代紙があったから。文房具屋は狭く、棚にはうすく埃《ほこり》がつもっていた。

晴れた日ばかりおぼえている。暑くて、どの道も白っぽくかわいていた。干上がったどぶには雑草がはえていて、私はときどき道端にしゃがんでは、つゆくさやらつぼぐさ、ひめじょおんなんかをつんで歩いた。町のあちこちにトタンでできた塀が立っていて、その、クリーム色がかったうすい緑が目に残っている。

海にいくこともあった。朝の海と違い、昼の海は人が多くのどかでにぎやかで、色も匂いも日の光の下にあふれている。

砂浜のはずれに気に入りの場所があり、よくそこにいった。それは公共の脱衣所の前、道路に近い、人の少い場所で、しずかなので落ち着けた。ガードレールのきわに丈の低い植物のまるい茂みがあり、その植物には蔓性《つるせい》の雑草がからみついていた。そこから波打ち際《ぎわ》の人々をみることはできたけれど、向うからはまず私の姿はみえない。水際の喧噪《けんそう》がちょうどいい遠さにきこえた。

あの子とはここで出会った。

その日私がいくと、彼女が先に来ていたのだ。色が黒く、痩せて手足のながい女の子で、あっさりした木綿のワンピースはややつんつるてんにみえた。つやのある黒い髪を短いおかっぱに切り揃《そろ》えていたが、短すぎて首がすっかりむきだしになっている。両足を足首のところで交差させ、脱衣所の壁によりかかっていた。胸から上が、斜めに日陰に入っている。

砂利を踏む音に、彼女が顔をあげた。丸顔で、涼しい目をしていた。私たちはしばらくみつめあい、歓声や笑い声や水音や、拡声器を通して誰かによびかけている男の人の声なんかをぼんやりときいていた。しまいに、何の言葉もかわさないまま、私は彼女に背中をむけてうちに帰った。

次の日、おなじ時間にそこにいったが、彼女は来ていなかった。私はかすかに失望したが、その二十倍くらいほっとして、いつものように落ちていた小枝を拾い、それで茂みをたたきながらそこらをぐるぐる歩きまわった。脱衣所のまわりを一周する。脱衣所のなかからは、しっくいとなまぬるいような木の匂い。蔓のからみついた植物の根元を、虫が一匹這《は》っていた。まるい、光沢のある茶色い虫。虫のそばにファンタの栓が落ちている。

私はしゃがんで石を物色した。縞《しま》の入った石があれば母に持って帰るつもりだった。はちまきをした石、と言って、母はおもしろがったから。

ふいに視線を感じて顔をあげると、あの子が立っていた。つやつやした髪、丈の短いワンピース。私たちは、またみつめあった。

帰ろうとして背中をむけた次の瞬間、彼女が声をだした。

「待って」

低い、落ち着いた声だった。日にやけた手足、サンダルをはいたはだしの足先。

「どうして帰るの」

まじめな顔で詰問《きつもん》され、私はこたえられずに困ってそこに立っていた。

「東京からきたの？」

私がうなずくと、彼女はまじめな顔のまま、

「やっぱりね」

と言う。

「そんな感じがした。私、東京の人はすぐわかるよ」

ふうん、とこたえたと思う。

「お兄ちゃんが東京にいってるから」

私はもう一度、ふうん、と言った。

「何年生？」

今度は私から訊《き》いた。近くでみると、彼女は私よりだいぶ背が高い。

「三年」

彼女はこたえ、自分は？　と尋ねる。虫よけスプレーの匂い。

「四年」

ふうん、と、今度は彼女がそう言った。

太陽は真上から照りつけている。私たちはならんで脱衣所の壁にもたれて、ぽつんぽつんと話をした。

「あしたも来る？」

彼女が訊き、私はうなずいた。

「かわいいサンダルだね」

別れ際、私は彼女の足元に視線を落としながら言った。サンダルにはいちごの柄がついていた。彼女はとても嬉《うれ》しそうに、にっこりとわらった。

それから、私たちは毎日のように海辺で会った。一度、父が突然私を水族館につれていくと言いだして、その日だけは私が約束をすっぽかすかたちになったけれど、それ以外は毎日。

私たちは砂浜を散歩したり、腰をおろしておしゃべりをしたり、ガードレールを越え、国道をどこまでも歩いていってみたりした。脱衣所の近くに大きな松の木があって、待ちあわせはその木の下と決めていた。

「私、東京にいきたいんだあ」

低い、落ち着いたいつもの声で、彼女はつぶやく。松葉を二本かみあわせ、両側からひっぱる「勝負」ごっこをしながら。

「東京の話をして」

彼女はよくそう言った。

「東京の小学校ってどんな感じ？　みんなおしゃれしてくるの？」

スカートをひっぱりながら腰をおろし、松葉の散乱する地面に指で触れながら、
私は、まあね、とうそぶいた。

「おしゃれはみだしなみだから」

そうだよね、と、彼女はまじめに同意するのだった。

彼女のことを、私は父にも母にも言わなかった。どうしてだかわからない。

私は、自分が父も母もかなしませていることを知っていた。学校でいじめられて

もなるべく先生に言わないようにはしていたが、それでも、先生はしょっちゅう母に連絡をして、私を迎えにきてくれるように頼んだ。たとえば廊下でうしろから突きとばされ、ころんで膝をうったときとか、下駄箱の前で手さげ袋をとられそうになり、とられまいともみあううちに手をはなされ、反動で、たてかけてあったすのこにおもいきりぶつかって目の下を切ったときとか。母はやさしかった。

砂浜に、浜エンドウの群生している場所があり、ところどころに濃い紫の花が咲いていた。

「休み時間はなにしてるの？」

日の光にあたためられた石に片手で触れながら、彼女が訊いた。

「こっちでは、いまはたいていドッジ。ちょっと前は色オニがはやってたけど」

と、うつむきながらつけ加える。ながい、まっすぐなまつ毛。大人っぽい横顔だと思った。

私は、休み時間はずっと自分の席にすわっている。できる限り身動きもしない。以前は図書室で借りてきた本を読んでいたけれど、そうすると本をとられたり、床にたたきつけて踏まれたりするのでやめた。ただじっと座って黒板をみている。消しそこなった文字のかけらや、はじに書かれた日付けと日直の名前、砕けたチョークの残骸《ざんがい》なんかを。

「私たちのグループは」

と、私は言った。

「私たちのグループは、最近よくシーソーにのってる。シーソーは二台しかないから競争率がたかいんだけど」

嘘《うそ》はすらすらとでてきた。クラスでも目立つ女の子の一人が、このあいだたまたまシーソーにのっているところをみたのだ。

「あとはピアノレッスン室でピアノをひいたり」

無論それも嘘だった。ピアノレッスン室があるのは私の小学校ではなく、従姉《いとこ》の知佐子ちゃんの中学校だ。去年、学園祭によばれたときにみた。でもそれも、普段は鍵《かぎ》がかかっていて生徒の自由には使えないという話だった。

「へえ。ピアノレッスン室か。いいねえ」

うん、とうなずいて、私は浜エンドウの花を一つちぎった。

息つぎのときに顔を上げすぎるな、というのが、その夏の父のアドヴァイスだった。顔を全部おもてにださなくても、鼻の穴と、口半分だけでれば十分なんだから。

「ほら、そんなに首をのばさなくていい」

朝の海はしずかで灰色で、赤と白の薄汚れたブイが浮き沈みしている。水が、昼の海よりも塩からいように思う。くちびるについただけでしみる。沖に朝日がさして水面がきらめく。

泳いだあと、立ちあがって顔をふくのも、「心が弱いから」だと言って、父はいやがった。

「おつかれさま」

母のひろげてくれるバスタオルにくるまる。

「くちびるがまっさお」

母は言い、地面に膝《ひざ》をついて、タオルの上から私の身体《からだ》をさする。口のなかに、まだ海の味が残っている。

「帰っておもちを食べましょう。きょうはきなこもあるのよ」

母に手をひかれ、私は雑草のはえた斜面をのぼる。父は、すでに少し前を歩いている。


嘘はつぎつぎに口をついてでた。

保健委員だというのも、朝礼でアコーディオンをひいているというのも、教室のカーテンが水玉模様だというのも、一人一人に鍵つきのロッカーが与えられているというのも嘘だった。

いいなあ、と、そのたびに彼女は言った。いいなあ、転校したいなあ、と。

しかし、彼女をもっともうっとりさせたのは、なんといっても薔薇《ばら》のアーチだった。

「校門には薔薇のアーチがあるの」

私は言った。

「ピンクや黄色、赤やピーチの大きな薔薇がね、びっしり咲いててそりゃあ見事でいい匂《にお》いなの。生徒はみんなそれをくぐって登校するの」

彼女は目を輝かせた。

「薔薇のアーチ!」

いかにも感じ入った様子で言い、その情景をたのしむかのように、すこしのあいだなにも言わなかった。

「今度遊びにおいでよ」

立ちあがり、おしりをはたきながら私は言った。

「転校でもいいけど」

ん、と、彼女はあいまいにうなずいて微笑《ほほえ》む。彼女が転校してきたら、私は私のグループに入れてあげると約束した。

一度、彼女のうちに遊びにいった。庭に白い犬がいたけれど、おなかを土にべたりとつけて、大儀そうに寝そべっていて、私が入っていってもちらりと顔をあげたあと、すぐにまた眠ってしまった。奥に家の人がいるようだったが、誰もでてこなかった。

「そこの田んぼでカエルさがす?」

彼女は気をつかって訊いてくれたが、私は首を横にふった。

朝の水泳がすんでうちに帰ると、私はいつもの窓がまちに腰掛けて、足指のあいだを掃除する。歩いているあいだじゅう、はさまった砂が不快だったのだ。とちゅうで立ちどまると父に叱《しか》られるので、うちに帰るまで我慢しなければならない。そのころには砂はすっかりかわいていて、指でこするとぱらぱらと庭にこぼれた。

夕方になると、居間のテレビで漫画をみた。台所では祖母と母が食事の仕度をし、そばで父はうたた寝をしている。裏庭に干された、父と私の水着が風に揺れていた。

ときどき、祖父が、

「腕相撲をするか」

と言った。祖父の腕はごつごつとたくましく、私に勝ち目ははじめからなかったが、それでも、

「弱いなあ」

と言ってそのたびにおどろいたように笑う、祖父の顔が好きだった。

あしたはもう東京に帰る、という日、私たちは住所を交換し、砂浜を散歩した。日が沈みかけていた。

「ね、薔薇のアーチには誰が水をやるの？」

かがみこんで石をひろい、はい、と言って私に手渡してくれながら彼女は訊いた。

「ありがとう」

私は石をポケットにいれる。白い縞の入った石。

「水は用務員さんがあげてる」

私は、小学校の校門に薔薇のアーチがついたところを想像した。大輪の薔薇が咲き誇るアーチ。

「いまみたいに日の沈むころはすごくきれいだよ」

いちめんに光のつぶをたたえた、まだ海水浴客のいる海を眺めながら言った。

手紙を書きあおうと約束したとおり、彼女からはすぐに何通かもらったが、私は返事をださなかった。彼女の住所は、帰りの新幹線のなかで捨ててしまっていた。

私は小学校を卒業するまでいじめられ続けた。次の年も、その次の年も、夏休みは祖父母のうちに遊びにいったが、もう一人で海にはでかけなかった。

はるかちゃん

小学校二年生の夏休みに親しくなって、その年の秋には引越してしまった友達がいる。はるかちゃんという名前だ。

そのころ、私はやたらにたくさんの病院に通っていた。歯科、皮膚科、耳鼻科、眼科。財布には色とりどりの診察カードが入っていて、週に一度ずつのピアノと習字の稽古《けいこ》同様、病院通いは放課後の生活の一部だった。

いちばんよく通ったのは皮膚科で、母にいわせると、私は「さわるものすべてにかぶれるたち」なのだそうだった。おかげで泥遊びも水遊びも禁止されていた。蝶々《ちょうちょう》の羽根をつかめば湿疹《しっしん》、しゃぼん玉液が腕にこぼれれば湿疹、桜の葉っぱでままごとをすればまた湿疹、というありさまだったのだ。桜の木には、毛虫がついていたらしい。

よく熱をだしたので、小児科医にもお世話になった。井出先生という名前で、夜中でも厭《いと》わず往診してくれた。額の禿《は》げあがった小柄な医者で、やさしい声をしていた。ただ、顔となるとさっぱり思いだせない。おなじように小柄で額の禿げた、音楽の先生の顔とまざってしまうのだ。井出先生に会うときはいつも熱にうなされて、朦朧《もうろう》としていたからかもしれない。毒々しいピンク色の甘ったるい水薬はどうしてものみこめず、何度のまされても吐きだしてしまった。

いちばんいやだったのは耳鼻科だ。

病院の建物そのものが陰気だったし、狭い待合室は子供ばかりでむさくるしく、三和土《たたき》に脱ぎ散らかされたたくさんの汚れた子供靴をみただけで憂鬱《ゆううつ》になった。小さな扇風機はなんの役にも立たなくて、待合室は暑く、息苦しかった。医者は背が高く、いつも不機嫌で怖《おそ》ろしかった。はじめていった日、茶色い大きな椅子《いす》にかけさせられ、銀色の器具で乱暴に鼻を上に向けられた。そんなものを鼻につっこまれたことはなかったし、器具はやけにつめたくておどろいた。おどろいたひょうしに涙をうかべたら、医者にそれをみとがめられた。

「まだなにもしていないじゃないか」

医者は軽い斜視だった。

治療の最後に薬を入れられる。臙脂色《えんじいろ》の薬は鼻から喉《のど》に流れこみ、その不快な味はうちに帰るまで消えない。椅子をおりるとき、いつも腿《もも》が汗でシートにくっついてしまっていた。

耳鼻科は線路ぞいにあり、電車の通る音がきこえた。窓があけ放されていて、入口の脇《わき》のおしろい花の茂みがみえた。

耳鼻科には、団地のなかを通っていった。大きな団地で、鉄筋コンクリートの四角い建物の側面に、それぞれ号棟を示す番号がついていた。

私は団地のなかを通るのが好きだった。よその家に入るとする匂《にお》いが、家の外まではみだしていておもしろかった。匂いをかぎながら歩いた。夕方はとくに好きだった。階段の下のうす暗い空間、郵便受け、置き去りにされた三輪車。敷地内は緑が多く、季節ごとの花も咲いていた。

はるかちゃんはこの団地に住んでいた。

団地には小さな公園があった。ブランコに鉄棒、ベンチ、花壇に雲梯《うんてい》に砂場。遊具のペンキはしょっちゅう塗りかえられ、ブランコも鉄棒も、そのたびに赤くなったり青くなったりする。ひととおりのものは揃《そろ》っているのに、子供たちには駅前の公園の方が人気があった。駅前公園は広く、すべり台や、ぐるぐる回る球形の乗り物もあり、鳩《はと》がきたりもして開放感があった。団地公園はといえば、どことなく閉鎖的で独特の空気がわだかまっていた。まわりに林立する団地のせいで日があたらず、地面がいつも湿っていた。それに、人さらいがでるという噂《うわさ》もあった。

一度、花壇の手入れをしていたおばさんと、背広姿のおじさんが言い争っているのをみたことがある。小さな女の子の手を両側からひっぱっていて、その女の子は泣いていた。おじさんの声はくぐもってよく聞きとれなかったけれど、おばさんの方は涙ぐみながら声をはりあげていて、かん高い声がそこらじゅうに響いた。あたしはこの子のお母さんに頼まれているんですから。やめて下さい、やめて下さい、待って下さい。あたしはこの子のお母さんに——。

私たちはそれをしばらく見物していたが、人さらいだ、と誰かが叫んだのと同時に、全速力で走って逃げた。実際には人さらいだったのかどうかわからない。藍《あい》にオレンジを流しこんだような夕方だった。

はるかちゃんはきれいな顔をしていた。長い髪をうしろで一つのおさげに編んで、飾りのついたゴムでとめていた。色が白く、唇がふしぎなほど赤く、くっきりした二重目蓋《まぶた》は長いまつ毛にふちどられていた。はるかちゃんはきれいな顔をしていて、そして、おそろしくのんびりしていた。

私もぐずで、父親にいつもはいはいはししろッ、と叱《しか》られていたが、はるかちゃんのそれとは比べものにならない。はるかちゃんは怖れなかった。のろまが露呈することも、全体の調和を乱すことも、先生に叱られることも。私が遅れまいとあくせくしている横で、はるかちゃんはいつもにこにこして、悠然と周囲に遅れをとっていた。

のーたりん。

はるかちゃんを陰でそう呼ぶ女の子たちもいた。はるかちゃんはいじめられてはいなかったけれど、親しい友達もいなかった。遠足の自由行動のときなど、よく一人でぽつんと歩いていたりした。

はるかちゃんは、びっくりするほど華奢《きゃしゃ》な指をしていた。かわいらしい声をしていて、教科のなかでは国語の朗読が上手だった。ゆっくりだったが正確に読んだ。

七歳の夏は耳鼻科通いの夏だった。学校の健康診断で副鼻腔《びこう》に炎症があると診断されたためで、プールにいかずにすんだのは嬉《うれ》しかったが、病院は実に居心地が悪く、何度いっても雰囲気に慣れることができなかった。

ある日、治療をおえて、いつものように団地のなかを歩いていると、二階中央の小さなベランダに内側から腰掛けて、片手をだらりと外にたらしているはるかちゃんがいた。ほっぺたを柵《さく》にもたせかけている。

「はるかちゃん？」

私は立ちどまり、上を向いて尋ねた。はるかちゃんはおどろいたようにこちらをみたが、やがてにっこり微笑《ほほえ》むと、そう、あたし、とこたえた。

「なにしてるの？」

たっぷり五秒のまをおいて、

「夕涼み」

と、はるかちゃんが言う。その言葉の大人びたひびきを、私はかっこういいと思った。

「あがる？」

頭の上からそう訊《き》かれ、私は素直にうなずいた。団地のなかというものに、一度入ってみたかったのだ。

最初の一歩は洞窟《どうくつ》探険のようだった。暗くて、おもてよりも温度が低く、湿った空気が肌にはりついてくる感じ。郵便受けにはそれぞれの家の名前がセロテープで貼《は》りつけてある。紙が黄ばんで、テープがかりかりに乾いているものもあった。

階段をのぼると自分の足音がひびく。すぐ上で、がちゃんとドアのあく音がして、はるかちゃんが待っていた。

「おつかい？」

「ううん、耳鼻科」

「そう」

ドアは金属でできていて、大きな音をたてて重たげに閉まった。玄関にはピンク色のマットが敷かれ、あがるとすぐ左が台所だった。とても暗い。冷蔵庫の扉に、随分たくさんのメモやチラシが貼りつけてある。

よそのうちの匂い。

私は体じゅう不安な気持ちに刺し貫かれながら、その匂いをすいこんだ。食卓にはお茶の残った湯呑《ゆの》みや調味料、台布巾《だいぶきん》がだしっぱなしにされている。

「どうぞ」

はるかちゃんに促され、私は奥の部屋に入った。六畳ほどの和室は窓が思いきりよくあけられて、おもての夕方がそのまま部屋に充満していた。

その部屋のまんなかに、三つか四つの女の子が畳に足をなげだしてすわっている。まわりに切り刻んだおり紙がひろげられ、私が入っていくと女の子は顔を上げたが表情は変えなかった。

「妹なの」

はるかちゃんが言う。

「それであっちは弟。壊れてるけど」

部屋の隅に赤ん坊が寝ている。

「壊れてる？」

うん、と言ってはるかちゃんは台所にひきかえした。

「カルピスでいい？　あたし、カルピスつくるの上手《うま》いんだよ。お母さんより上手いの」

私は部屋につっ立ったまま、うん、とこたえる。

「弟は心臓がすこし壊れてるの。たぶん目も。光あてても反応しないって」

流しの下の扉をあけしめする音や、水道の水をだす音をたてながら、はるかちゃんはそんなふうに言った。

「お母さんは？」

仕事、と言いながら、はるかちゃんはカルピスをはこんできてくれた。

「あ、マドカおしっこでしょ」

お盆を持ったままはるかちゃんが言う。

「ちがう」

妹はきっぱりと言い、おり紙切りに熱中している。

「おしっこでしょう?」

はるかちゃんはなおも言い、お盆を私の前に置くと妹の隣にぺたんと腰をおろした。

「お便所にいかなくちゃだめ。ね? いこう?」

「ちがうもん」

蚊の鳴くような声で言う妹の腕をもち、はるかちゃんは立ちあがらせようとする。

「ね? 一緒にいってあげるから」

私は依然としてつっ立ったままそれをみていた。はるかちゃんのはだしのかかとが、大人のそれのようにみえたのを憶《おぼ》えている。

「立てない」

妹は半分泣きだしていた。

「立ったらもれちゃうよ」

どうしてわかったの、と、あとで私ははるかちゃんに訊いた。妹がトイレにいくのを我慢していると、一体どうしてわかったの。

はるかちゃんは、うふふ、とわらった。

「右のかかとでおしりをおさえてたから。あの子いつもそうするの」

カルピスは、ほんとうにおいしい薄さだった。私たちはベランダに内側から腰掛けて、夏休みの夕方の道を眺めた。買物籠《かご》をさげたおばさんや自転車にのった男の子たち、クラブ活動帰りらしいセーラー服姿の女子高生なんかが通りすぎていく。

はるかちゃんはときどき弟の様子をみにいった。ちゃんと息をしているかどうか、濡《ぬ》れっぱなしのおしめをしていないかどうか。

はるかちゃんの動作は普段学校にいるときとおなじくらいゆっくりだった。おなじくらいゆっくりで、おなじくらい無駄がない。私はすっかり感心してしまった。

人さらいの噂はまことしやかに流れた。全校生徒に配られる、「おたより」という名前のＰＴＡ会報にも、注意をよびかける記事がのったくらいだ。子供たちのあいだでは、人さらいはグレーの背広を着たやさしげなおじさんだ、という説と、男と女の二人組だ、という説があり、私は勿論《もちろん》慎重を期してそのどちらも警戒していた。

耳鼻科の帰りみち、私はたびたびはるかちゃんのうちに寄り、夕涼みをしたり、妹の一人遊びを眺めたりした。はるかちゃんの妹は、いつも必ず黙々と一人遊びをしていた。タータンチェックのズボンをはいた、くたびれたくまのぬいぐるみを抱いて。

はるかちゃんは妹にやさしかったけれど、一緒に遊んであげるということはなかった。いつも部屋の隅――ほんとうに隅。おしりが四角くなってしまうのじゃないかと思うくらいぴたりと角にくっついていた――で本を読むか、ベランダに腰掛けて「夕涼み」しているかなのだ。そのせいで、この部屋に一歩入ると、三人が三人とも独立して存在しているという奇妙な印象を与えられた。みんなとても無口なのだった。

「壊れている」という弟は、ときどき、うふっ、うふっ、というむせるような声をだしたり、ひー、と、きー、のあいだのようなかん高い声をだすことがあったが、それは稀《まれ》で、いつもたいていおとなしく寝ていた。のぞきこむととても小さく、髪が濃くて顔のつくりの大人びた赤ちゃんだった。

ときどき電話が鳴った。電話はいつもお母さんからで、家のなかの様子をたしかめているらしかった。

お母さんの帰りが遅くなる日、はるかちゃんはおむすびをつくって妹に食べさせてやることもあった。

「コブもゴマもウメボシもあるんだけど、この子はこれが好きなの」

とはるかちゃんのいう「これ」とは塩むすびで、はるかちゃんの妹は、それを「しよむすび」と発音した。

あるとき、遊びにいくと弟がいなくなっていた。検査のための入院をしているとかで、次に遊びにいったときには戻ってきていた。

たまに、はるかちゃんは私を途中まで送ってくれた。団地公園までとか、団地のはずれの電話ボックスまでとか、街道ぞいの和菓子屋までとか。

日は全然暮れなかった。ときにはまだ西日がさしていたりして、蟬《せみ》が弱々しく鳴いていた。団地の木々はどれもその日最後の日ざしを受けて、葉を黄金緑に染めている。

団地公園のブランコに、ほんの五分だけ乗ることもあった。はるかちゃんの乗り方は立ち乗りで、あまりこがずにあとは惰性でゆっくり揺れている。

「人さらいにさらわれた子供はどこにいくのかなあ」

揺れながらはるかちゃんが言った。

「売られちゃうんじゃない？」

私は座り乗りで、両足を曲げ伸ばしして懸命にブランコをこぎながらこたえる。

「どこへ？」

前髪や鼻やまぶたを風が流れる。とろりとしてなまぬるい夕方の風。

「外国」

私は、トム・ソーヤの冒険の、奴隷船《どれいせん》のさし絵をおもいうかべながら言った。

「外国につれていかれて、鞭《むち》で打たれて働かされるんじゃないかな」

「鞭か」

はるかちゃんはつぶやく。それから独特のおっとりした口調で、

「それどのくらい痛いかな。みみずばれになって、それがやぶけて血がでるくらいかな」

などと言うので、私は困って、

「そうかもね」

とこたえた。みみずばれがやぶけて血がでるなんて、おもうだに怖《おそ》ろしかった。

「血はどのくらいでるのかな」

はるかちゃんはさらにつぶやいてブランコをおりる。私も両足をのばしっぱなしにして、停止体勢に入った。

こんなこともあった。

私たちがならんで歩いていると、うしろから新聞配達の自転車がきて横で止まった。自転車にはすこしふとったお兄さんが乗っていて、地面に片足をつけてにっこ

り笑う。旧式の、止まるときしきし音のする自転車だった。

「ね、ちょっと来てごらん」

自転車のスタンドをたて、お兄さんは私たちを庭の奥に先導した。

「ちょっとだからね、すぐだから」

何度もそう言った。十五、六だったのだろうか、すこしも悪びれず、にこにこして、むしろ大人が好印象をもつに違いない様子のお兄さんだった。

いちばん奥の建物の陰、アパートと塀とのすきまに私たちを招きいれると、お兄さんはにこにこした顔のままで、ちょっとパンツをおろしてみて、と言うのだった。

「大丈夫、なんにもしないからね」

私たちはいわれるままに下着をおろし、スカートをもちあげてみせてあげた。

「ちょっとじっとしててね」

お兄さんは言い、かがみこむと、ほんの申し訳程度、舌の先でそのちっぽけな部分を一度ずつ舐《な》めて立ちあがった。

「ありがとう。もういいよ」

さわやかに言う。お兄さんは去り際《ぎわ》に飴《あめ》を二つくれ、私たちは、たったいまのできごとを誰にも言わないと約束した。飴は、赤い銀紙に包まれたライオネスコーヒーキャンディだった。自転車をきしませ、お兄さんが新聞配達に戻ってしまうと、はるかちゃんはぽつんと、

「なんだ、人さらいじゃなかったね」

と言った。私たちはコーヒー飴をなめながら、またならんで歩きだした。

あるとき、遊びにいくとひとり遊びの妹がいなくなっていた。別居中だったお父さんと一緒に暮らすことになったそうだった。ひとり遊びの妹は、突然いなくなってしまった。

「お父さんはマチダに住んでるの」

はるかちゃんはそう言った。ベランダに内側から腰掛けて、片手を柵《さく》の外にだらりとたらして。

「そう」

私は言ったが、マチダというのがどこにあるのか見当もつかなかった。

耳鼻科通いは夏休みじゅう続いた。

医者はいついっても不機嫌で、臙脂色《えんじいろ》の薬はいつ入れられてもひどい味がした。診察室の正面が窓なので、かがみこむ医者の体は逆光のなかで大きな影のようにみえた。

「人さらいってどういう子供をつれていくのかな」

ほっぺたを鉄柵におしあてて、はるかちゃんはおっとりと言う。

「何時ごろが危険なのかなあ」

カルピスはちょうどよくぬるく、喉《のど》をゆっくりすべりおりていく。窓枠にぶらさげられた、洗濯バサミのついたプラスティックの輪っか状の物干が、弱い風にかたかたと音をたてる。

「人さらい、こないかなあ」

はるかちゃんはぼんやりと言うのだった。そのたよりなく白い横顔と赤いくちびるを、私はじっとみつめていた。

二学期になると、はるかちゃんはお母さんの郷里に引越していった。その後弟は亡《な》くなったときいた。

影

離婚することになったとき、Mだけが驚かなかった。父も母も友人たちも、夫でさえ――たぶん夫がいちばん――驚いたというのに。

「ふうん」

駅ビルの二階の、狭くて慌《あわ》ただしい喫茶店でアイスコーヒーをのみながら、Mは言った。

「どんな理由で？」

痛々しいほど痩《や》せたMは、白いポロシャツにボックススカート、ソックスにスニーカーというふうにいつもの奇妙な恰好《かっこう》――テニスをするわけでもないのに――で椅子《いす》にすわり、膝《ひざ》に手さげをのせて、ストローの袋をもてあそんでいる。

「よく、わからないの」

正直に、私は言った。もう何度も訊《き》かれたことだ。夫にも、夫の両親にも。

「ふうん」

Mはもう一度言い、

「よかった」

と小さな声でつけたして、にっこり笑った。まったく化粧気のないMの顔、短かすぎるくらい短かく切られた髪。私は身体《からだ》の中心がざわりと不安になるのを感じた。いつもそうだ。Mは私を不安にさせる。

「よかったよ」

すこしだけ歯をみせて笑って、Mはおなじことをもう一度言った。

Mとは、ごくたまにしか会わない。住所と電話番号と、電子機器のメーカーに勤めているらしいこと以外なにも知らない。

「元気？」

ふいにそんな電話をかけてくる。小学校を卒業してからずっとだ。電話は続くこともあり、何年も何年もかからないこともある。

「ひさしぶりに会える？」

そう言われて会うこともあり、

「じゃあまた」

と言って切れることもある。

Mと出会ったのは九歳のときだ。小学校三年生の春に、はじめておなじクラスになった。クラスに、絶対にスカートをはかない女の子が二人いた。二人ともボーイッシュに短かい髪をしていたが、活発とか元気のいいとかいった感じではなかった。むしろ私たちより大人びた女らしさを持っていたように思う。影のような女らしさ。二人とも、卒業するまでそのスタイルをとおした。Mは、その一人だった。浅黒い肌と大きな目の、目立たない生徒だった。

私は新しいクラスになかなか馴染《なじ》めなかった。元来臆病《おくびよう》で、変化に対して億劫《おっくう》がりなのだ。毎朝学校にでかける前に母に髪をとかしてもらいながら、早くここに帰ってきたい、と思っていた。

「友だちいないの？」

声をかけてくれたのは輝子《てるこ》ちゃんだった。私たちは急速に親しくなり、休み時間のたびに一緒に裏庭でシーソーにのった。輝子ちゃんは身体つきのふっくらした、泣きぼくろのある女の子だった。

「こんなことを言うのはおせっかいかもしれないけど」

ある朝、学校にいく私を、歩道橋のわきでMが待っていた。

「こんなことを言うのはおせっかいかもしれないけど、輝子ちゃんって二年生まですごくいじめられてたんだよ。だから、一緒に遊んでいるとあなたまでいじめられちゃうと思う。その、私が言うことじゃないかもしれないけど」

Mは、言いにくそうにそう言った。

「男の子のいじめ方ってひどいから」

本気で心配してくれているようだった。

私はすっかり怖気《おじけ》づいてしまった。暑い日で、ギンガムチェックのワンピースを着ていた。どうして憶《おぼ》えているのかといえば、その後Mが何度も言ったから。

「あのときあなた水色のワンピースを着てたよね。ノースリーブの、ギンガムチェックの」

歩道橋のわきには干上がった川があり、柳の木が一本、風に枝を揺らしていた。その日から、私は輝子ちゃんと遊ばなくなった。図書館という便利な場所をみつけ、休み時間はたいてい一人でそこにいた。輝子ちゃんは何度もシーソーに誘いにきたけれど、私はきっぱり断った。やがて、輝子ちゃんは私からはなれていった。だからといってMと私が親しくなったわけではなく、どちらもやがて別の友だちをみつけた。ただ、私はMに借りができたような気がしていた。あれから輝子ちゃんには倉田さんという親友ができ、輝子ちゃんも倉田さんも、卒業するまでひどくいじめられたから。

それは凄惨《せいさん》ないじめだった。物を隠されたり捨てられたりは毎日のことで、屈辱的な言葉を浴びせられ、すわろうとした椅子をひかれたり髪をつかんでひき倒されたり、階段からつきおとされたりした。輝子ちゃんの配る給食は誰もうけとらないので、給食当番のとき、輝子ちゃんはいつもお盆を持って、困ったように教室に立っていた。私はますます図書館にばかりいる子供になった。

夏休み、水泳という憂鬱《ゆううつ》のたねはあったけれど、学校にいかずにすんで、私は機嫌よくすごしていた。記録的な猛暑、と、テレビのニュースがいっていた。記憶は断片的だがはっきりしていて生々しい。たとえば父の晩酌用の枝豆や空豆の、冴《さ》えた緑、やわらかな緑。汗をかいたビール壜《びん》のちゃいろ。

私の離婚は、周囲の誰をも驚かせた。ありふれてはいるが十分に幸福な恋愛をした末の結婚だったし、事実私たちは仲がよく、これといって喧嘩《けんか》をしたこともない。ただ、セックスは不快だった。

洗濯物ははじめからわけていた。いつからか、夫の使った食器は念入りに洗うようになった。櫛《くし》や爪《つめ》切りも、おなじものを使うのが嫌になった。なかでもいちばん嫌だったのは、食事中の夫の口元と貧乏ゆすりだ。夫は箸《はし》が苦手だった。

私はおとなしい子供だった。体育が苦手で、図工と家庭科が好きだった。上級生から手紙をもらったことが二度ある。三年生のときに六年生から、四年生のときに中学二年生からだ。

こんなことがあった。

水泳の授業の日、私の水着がなくなった。水着は、犬の絵のついた透明なビニールバッグに入れて机の横にかけておいた。水泳帽子も、バスタオルも一緒に。私は母が入れ忘れたのだと思い、担任にそう言った。

「仕方ないな」

担任は言い、その日の体育は見学になった。体操着を着てプールサイドにすわり、私はまぶしい水面をみていた。水音、水しぶき、反射する日ざし。歓声、教師のふくホイッスル。私はきつく膝を抱え、コンクリートをぺたぺたと歩くクラスメイトたちの、濡《ぬ》れた足をみていた。頭のてっぺんが熱く、プールサイドについたたくさんの足あとは、みるみるかわいて消えてしまう。

水着はうちじゅうどこを探してもなかった。絶対に今朝ビニールバッグに入れました、と、母は言った。

「水着、どこにあるか知ってるよ」

次の日、登校するとMが近づいてきて言った。

「きのう、一時間目と二時間目の休み時間に教室に六年生がいたの。黒いものを抱きしめてた」

その時間、私たちのクラスは全員音楽室にいた。Mがどうして教室に戻ってきたのかわからない。でも、水着は、たしかにMの言った上級生のロッカーからみつかった。

私は紙せっけんをあつめていた。おこづかいで少しずつ少しずつ買って、GELATINA DI FRUTTA と書かれた白い缶に入れていた。砂糖をまぶしたフルーツのゼリー菓子の入っていた缶だ。紙せっけんには五枚入りと十枚入り、十五枚入りの三種類があって、ビニールのケースに入って売られていた。ケースには水玉模様やあひるの柄がついていて、一つ一つが特別で魅惑的だった。

紙せっけんに限らず、私はせっけんというものの好きな子供だった。普段づかいの白い練りせっけんも、透明な紫色をした母の化粧せっけんも、洗濯用の、武骨に大きな正方形のせっけんも。

自分ではよく憶えていないのだが、せっけんを食べて病院につれていかれたことが三度あったらしい。怖くて、せっけんはいつも隠しておいた、と、あとから母にきいた。

紙せっけんはうすく、ばかげてあかるいピンクやみどり色だった。表面に削りあとがすがすがしく残り、かすかに粉を刷《は》いたようになっている。缶をあけ、ときどきケースから一枚とりだしてはその感触をたのしみ、鼻先へもっていって匂《にお》いをかいで、最後に向うをすかしみた。紙せっけんごしにみた、あたりいちめんピンク色の風景。濡れた手で触るとだめになってしまうので、あつかいには細心の注意を払った。私はどういうわけか湿った手をした子供だったので、とくに。

「御主人、あなたに暴力ふるったりはしなかったんでしょう？」

駅ビルの喫茶店でアイスコーヒーをのみながらMは訊いた。

「暴力？」

私はまさかというように首をふった。

「そんなひとじゃないわ。おとなしい、やさしいひとよ」

それなのになぜ、と、でもMは訊かなかった。

「よかった」

小さく笑ってそう言っただけだ。

「元気？」

そう言ってふいにかかってくるMの電話を、うとましく感じることもしばしばあった。

「ひさしぶりに会えるかな」

そう言われても断っていた時期もある。たとえば十九歳のころ。私ははじめての恋をしていた。

彼とは、友だちの紹介で知りあった。年中日にやけていて、笑うと目尻《めじり》にしわのよる、活動的な男の子だった。はじめてのキスは車のなかで、セックスは彼の部屋の床でした。オフショアのサーフボードがたてかけてあり、窓にはカーテンのかわりにすだれが下がっていた。夏で、ステレオからはレイ・パーカーJr.&レイディオが流れていた。毎日がたのしかった。

他に好きな子ができたのでもう会えない。ボーイフレンドにそう言われた日、ひさしぶりにMから電話がかかった。

「元気?」

泣き疲れ、目を腫《は》らせてすっかり声を嗄《か》らしていた私は、

「元気よ」

と、がさがさの声でこたえた。一瞬の沈黙のあと、

「会わなきゃ」

と、Mは言った。

子供の足で歩いて、うちから七分ほどのところに駄菓子屋があった。団地のなかにある店で、駄菓子のほかに日用雑貨も売っていた。紙せっけんもよくここで買った。むらさきがかった赤茶いろの麩《ふ》菓子も、涼しいラムネ菓子も。

母におつかいをたのまれることもあった。母のおつかいはたいてい卵で、父の朝食用のそれをきらしていた、という緊急事態に私の出番となるのだった。

「紙せっけん買ってもいいからね」

白いピケの帽子をかぶせてくれながら、母は言った。

「気をつけていくのよ。はやく帰ってきてね。もうじきパパが起きるから」

休みの日、父はたいてい昼ちかくまで寝ていた。

夏休み、日ざしは朝からかんかんで、

「卵はLサイズ？」

とか、

「食パンは山型のやつね」

とか、確認の電話をかけに入る電話ボックスは、よく電話機が溶けないと思うくらい暑かった。

その日、私は卵一ケースと食パン、みょうが、それに氷レモンの色の紙せっけん(十枚入り)を買った。卵とパンは母にたのまれたものだったが、みょうがはちがった。私は、おつかいにいくと、たのまれもしないへんなものを買ってしまうくせがあった。

店をでて歩き始めたとき、おばあさんらしい声によびとめられた。

「ちょっとあなた」

声は、左上からきこえた。左側はすこし高い土手状になっていて、土手には団地がならんで建っている。コンクリートの階段が五、六段ついていた。

「あなた」

おばあさんはその土手の上——団地の裏庭——に立ち、そばのドラム缶のなかでなにかを燃やしていた。ドラム缶の上だけ空気がゆらゆら歪《ゆが》んでいる。私をみて手まねきをした。

「はい?」

返事をしたが、おばあさんはなおも手まねきする。暑いのに非常に複雑に重ね着した洋装の、小柄なおばあさんだった。

卵やパンの入った袋をさげたまま、私は階段をのぼった。私は臆病な子供だったが、土手は道に面していたし、おばあさんは小さくてしわくちゃで、危いことはないと思った。

「おつかい?」

おばあさんは私をみると尋ねた。

「えらいね。寒いからちょっとあたっていきなさい」

私はおどろいたが、おばあさんはまじめな顔で、両手を火にかざしている。ドラム缶からは木と紙の燃えるしずかな匂いが立ちのぼっていて、それは夏休みの朝の青空に、あまりにも不つりあいな匂いだった。

荷物を足元に置いて、私はいわれるままに両手をかざした。ぱちぱちと火の粉のはぜる音がする。煙が目にも口にも入った。火にあたりながら、私は途方に暮れてしまった。どうしてこういうことになってしまったのだろう。暑いから帰る、火にあたる必要などない、と、でも私は言えなかった。それがたとえば冬休みの夕方で、手がかじかんで困っていたとでもいうように、私はただじっと火にあたっていた。

「お母さんが呼んでるよ」

誰かに言われ、ふりむくとMが立っていた。

「え」

事態がのみこめずにいる私にはかまわずに、Mはおばあさんに頭を下げた。

「どうもありがとうございました」

「はい、気をつけて」

おばあさんはふにゃりと笑ってそう言った。

「もっと早く帰ってきちゃえばよかったのに」

横断歩道をわたりきったところで、なぐさめるともあきれるともつかない口調でMが言った。

「あのおばあさん、あたまがおかしいんだから」

「みてたの？」

全然釈然としない気持ちで私は訊《き》いた。

「どこにいたの？」

Mのうちは学校をはさんで反対側なので、そこからは随分遠いはずだった。

「みてたよ。はらはらした」

Mは、心から心配そうにそう言ったが、二つ目の質問にはこたえなかった。

「持ってあげる」

汗ばんだ私の手から袋——父の朝食用の卵の入った袋——をとって持ってくれた。

「怖かった」

私は、いつも遅れて怖くなるのだ。いつも。


「離婚届に判をおすとき緊張した？」

Mは装身具をつけない。ひどい深爪《ふかづめ》をしている。

「しなかった」

私は自分の指先をみながらこたえた。シルバーにオニキスをのせた指輪を、左手の中指にはめている。

「冷静だったと思う」

Mが同性愛者だという噂《うわさ》がたったのは高校生のころだ。私立の女子校に通っていた私は、さして興味もないままその噂をきき流した。都立の進学校にすすんだMとは、もうずっと会っていなかったから。

「冷静だったし、それに、なんていうかわかりやすかった。判をおすときにはもう何も迷いがなかったから」

「ふうん」

うなずいたMの表情は、子供じみて真剣だった。

輝子ちゃんはいじめられつづけた。服をトイレにつっこまれたり、椅子《いす》で体を殴られたり、給食にチョークの粉をかけられたりした。校庭には嫌になるくらいたくさんのセミがやってきて、授業中にうるさく鳴きたてた。

歩道橋の下で待ち伏せをされるようになったのは、夏休みのすぐあとだった。排気ガスくさい夏の通学路。

彼は中学生らしかったが、小学生の下校時間になぜだかちゃんとそこにいた。

「一緒に帰ろう」

そういわれて私が首を横にふると、中学生はとても傷ついた顔をした。怖い、かなしい、奇妙な顔。

二度目から、彼はもう私に声をかけなかった。ただ、いつもうしろからついてきた。臆《おく》することなく、ひどく大胆に。

背中に舐《な》めるような視線を感じ、私は体がつめたくなって手のひらが汗ばんだ。男子中学生の目つきというものは、そのせいか、いまでも苦手だ。

たすけてくれたのはまたしてもMだった。

「あなた北中でしょ」

どうやって調べたのか、Mは彼の学校を知っていた。

「先生に言いつけるから」

中学生は例のとても怖い暗い湿った目でMをみつめたが、Mはひるまなかった。

「先生に言いつけるから。お父さんに言ってもらう」

Mにはお父さんがいなかったのに、そんなことを言った。

「うるせえ、くそ売女《ばいた》」

目つきに変質的な怒りをこめて中学生は言い、私にはその言葉の意味はわからなかったが、なにかとても無礼な、悪い言葉なのだということはわかった。それでも、Mは気丈に彼を睨《にら》み据えていた。

中学生は、二度と待ち伏せしなかった。

「ばいたってなんのこと?」

帰り道、干上がったどぶ川ぞいに歩きながら、私はMに訊いた。どぶ川は甲州街道のわきを走っている。小さなぶどう畑、運送屋の駐車場。Mはしばらく黙ってから、

「どうでもいいじゃん、そんなの」

と、言った。

「でも、子供がいなくてよかったね」

くしゃくしゃにしてしまったストローの袋をテーブルに放り、声の調子をあかるくしてMは言った。

「いると大変らしいから」

私は曖昧《あいまい》にうなずいた。

「暑いね」

窓の外をみながらMが言う。

「夏は嫌だな。嫌なことばかり思いだす」

「小学生だったころのこととか?」

私はおどけた顔をつくって言ってみた。

「まあね」

傾きかけた日ざしに目を細め、Mは遠い表情をする。

「輝子ちゃん元気かな」

私が言うと、Mは、さあ、と首をかしげた。ガラス窓から電車がみえる。小学生をつれた母親がなん人もいて、夏休みの駅ビルの喫茶店はひどく騒々しい。

「じゃあまた。そのうち電話する」

立ちあがったMは私をみて微笑《ほほえ》んだ。

「うん、また。きいてくれてありがとう」

私たちは店をでて、全然知らない者同士のような顔をして、それぞれの場所に戻る。

江國さんのひみつ

川上弘美

このお話、わかる。

たぶん、こんなにこれがわかるのは、私だけじゃないのかな。僕だけじゃないのかな。

何がわかるって、そうだな。簡単に表現できちゃうようなものじゃないよ。だって、
それなら、「自分だけはわかる」なんて言ってもしょうがないものね。

とにかく、わかるんだ。

いい匂《にお》いのするもの。少しだけしめったもの。でもさらさらとした手ざわりのもの。

深く、しみこんでくるんだ。それが。私だけにね。僕だけにね。

江國香織さんのファンは、江國さんの書く小説について、たぶん全員がそう思っているんじゃないだろうか。じつは、私だって、そう思っている。

読みはじめた瞬間に、読んでいる最中に、そして読みおわってからは特に、そういう

ふうに思うような気がする。

何がわかるのか。それは今さっき言ったように、簡単には表現できない。そして表現できないそれを、私はひそかに「江國さんのひみつ」と名づけている。

江國さんの本は、いつも江國さんのひみつに満ちている。すみからすみまで。


江國さんのひみつ、を読んだあとには、なぜだか読者は「じぶんのはなし」というものをしたくなるような気がする。なぜならば、江國さんの本を読んだ読者は、江國さんのひみつ、を、自分だけにうちあけてもらったような心持になるからだ。

ひみつをうちあけてもらったあとは、やっぱり自分のひみつもうちあけたくなる。

親密なひみつのやりとり。


たとえば、私ならば、こんなことを話したくなる。

昔好きだった女の子（中学校の同級生で、髪が短い子だった）の話。飼っていた亀《かめ》（ミドリガメ。五年と三カ月生きた）が死んだときの話。デパートの大食堂で食べるプリンアラモード（けっこういける）についての話。新宿御苑のからす（寒い日には、ぴょん、ぴょん、と音をたててとびまわる）の話。

けれど、江國さんのひみつ、を読んだ後に自分の話をしてみても、なんだかつまらないのだ。

つまらない。

自分の話は、つまらない。

江國さんのひみつは、あんなに緊密なのに。色もきれいなのに。かたちもやさしいのに。

自分のひみつはつまらない。ほんとうは、自分のひみつは自分にとって一番おもしろいはずなのに。大切なはずなのに。

それで、江國さんのファンは、ますます江國さんの本を読むようになるのだ。自分のひみつ、よりも、もっと自分に近しく思える、江國さんのひみつ、をうちあけてもらうために。そのひみつをゆっくり味わうために。

江國さんのひみつは、どうしてあんなに緊密できれいでせつないのだろう。

文章の力、だと私は思う。

どこに焦点を当てるか。どういうエピソードをもってくるか。どんな人物が造形されているか。何を言おうとするか。

　小説を書くときには、このほかにも無量百万の、さまざまに選択すべきことがあるわけだが、江國さんにおいていちばんすばらしいのは、「どんな言葉をここにあてはめるか」ということに関する選択眼だと思う。


　私は新幹線が嫌いだ。

　整然とした車内の様子も、浮世ばなれしたアナウンスも、ワゴンを押して物を売る女の子の制服も。よく磨かれた大きな窓や、ぴかぴかしてきれいな銀色の窓枠、不恰《ぶかっ》好《こう》な上着掛けフックや、あのばかげたカーテンなんかも。

「あげは蝶《ちょう》」の冒頭の文章である。

　なんと、無駄のない文章なんだろう。

　むつかしい言葉は、一つも使っていない。むつかしいいいまわしも、一つも使っていない。

「嫌いだ」と決めつけてから、何が嫌いなのか、どうして嫌いなのかを、まっすぐにさりげなく、並べているだけのように見える。でも、一つ一つが、「嫌い」をほんとうによく表しているのだ。

私も、「ワゴンを押して物を売る女の子の制服」が嫌い。「ぴかぴかしてきれいな銀色の窓枠」が嫌い。「不恰好な上着掛けフック」が嫌い。

今まで一度も思ったことがなくても、いつの間にかそう思っている。大昔から、そう思っていたような気分になっている。

何よりも驚くのは、「あのばかげたカーテンなんかも。」というしめくくりである。「あのばかげた」「なんかも」。この口語的な言葉づかい。そして「カーテン」という名詞との組み合わせの妙。

それまでのたんたんとした言葉づかいの終わりにこの文がくることによって、突然文章全体が立ちあがってくる。

すごいなあ、と私は感心しきってしまう。

すごいなあ。


「水の輪」という話の中では、里芋は「さと芋」と書かれていた。「焼却炉」という話の中では、不恰好は「ぶ恰好」と書かれていた。「すいかの匂い」という話の中では、西瓜は「すいか」と書かれていた。

江國さんは、漢字とひらがなにも独特の選択眼を持っている。何を漢字にするか。どの部分をひらがなにするか。同じ言葉でも、あるときは漢字になっている。あるときはひらがなになっている。

文章の中での、言葉の力の入れ方を決めるために、江國さんは漢字とひらがなを選ぶにちがいない。

この言葉ならば、必ず漢字。この言葉ならば、いつもひらがな。そういうふうに、自動的に書くのではなく、言葉ごとに立ち止まって、文章ごとにためつすがめつして、そして決めるにちがいない。

工芸品をつくる職人さんのような技だと思う。完成した作品はとてもなめらかなので、どんな技を使ったか、すぐにはわからない。わからないけれど、確かに技は使われている。わからないということが、何より、技を使ったしるしなのだ。

江國さんの小説を、私はもっともっと読みたいと思う。

いい匂いのするお菓子をもらったときのように、あたたかな湯気のたつごちそうのお皿を目の前にとん、と置いてもらったときのように、江國さんの小説を本屋さんから買って帰った日は、これからおいしいものを味わえるんだなあ、という期待で体ぜんたいがわくわくする。

江國さん、どうかつつがなく、ゆっくりとお風呂につかって（江國さんはどうやらお風呂好きのようなので）、毎日を過ごしてください。

生水はなるべく飲まないようにして、腹は八分目に（できるだけ）。

長生きして、たくさん小説を書いてください。

どうぞどうぞお願いいたします。

（二〇〇〇年五月、作家）

この作品は平成十年一月新潮社より刊行された。

江國香織著
きらきらひかる

二人は全てを許し合って結婚した、筈だった……。妻はアル中、夫はホモ。セックスレスの奇妙な新婚夫婦を軸に描く、素敵な愛の物語。

江國香織著
こうばしい日々
坪田譲治文学賞受賞

恋に遊びに、ぼくはけっこう忙しい。11歳の男の子の日常を綴った表題作など、ピュアで素敵なボーイズ&ガールズを描く中編二編。

江國香織著
つめたいよるに

愛犬の死の翌日、一人の少年と巡り合った女の子の不思議な一日を描く「デューク」、デビュー作「桃子」など、21編を収録した短編集。

江國香織著
ホリー・ガーデン

果歩と静枝は幼なじみ。二人はいつも一緒だった。30歳を目前にしたいまでも……。対照的な女性二人が織りなす、心洗われる長編小説。

江國香織著
流しのしたの骨

夜の散歩が習慣の19歳の私と、タイプの違う二人の姉、小さな弟、家族想いの両親。少し奇妙な家族の半年を描く、静かで心地よい物語。

江國香織著
ぼくの小鳥ちゃん
路傍の石文学賞受賞

雪の朝、ぼくの部屋に小鳥ちゃんが舞いこんだ。ぼくの彼女をちょっと意識している小鳥ちゃん。少し切なくて幸福な、冬の日々の物語。

小川洋子著

博士の愛した数式

本屋大賞・読売文学賞受賞

80分しか記憶が続かない数学者と、家政婦とその息子――第1回本屋大賞に輝く、あまりに切なく暖かい奇跡の物語。待望の文庫化！

湯本香樹実著

夏の庭

—The Friends—

米ミルドレッド・バチェルダー賞受賞

死への興味から、生ける屍のような老人を「観察」し始めた少年たち。いつしか双方の間に、深く不思議な交流が生まれるのだが……。

恩田陸著

夜のピクニック

吉川英治文学新人賞・本屋大賞受賞

小さな賭けを胸に秘め、貴子は高校生活最後のイベント歩行祭にのぞむ。誰にも言えない秘密を清算するために。永遠普遍の青春小説。

川上弘美著

センセイの鞄

谷崎潤一郎賞受賞

独り暮らしのツキコさんと年の離れたセンセイの、あわあわと、色濃く流れる日々。あらゆる世代の共感を呼んだ川上文学の代表作。

角田光代著

キッドナップ・ツアー

産経児童出版文化賞・路傍の石文学賞受賞

私はおとうさんにユウカイ(=キッドナップ)された！　だらしなくて情けない父親とクールな女の子ハルの、ひと夏のユウカイ旅行。

唯川恵著

「さよなら」が知ってるたくさんのこと

泣きたいのに、泣けない。ひとりで抱えてるのは、ちょっと辛い――そんな夜、この本はきっとあなたに「大丈夫」をくれるはずです。

上橋菜穂子著

精霊の守り人

野間児童文芸新人賞受賞
産経児童出版文化賞受賞

精霊に卵を産み付けられた皇子チャグム。女用心棒バルサは、体を張って皇子を守る。数多くの受賞歴を誇る、痛快で新しい冒険物語。

辻村深月著

ツナグ

吉川英治文学新人賞受賞

一度だけ、逝った人との再会を叶えてくれるとしたら、何を伝えますか——死者と生者の邂逅がもたらす奇跡。感動の連作長編小説。

津村記久子著

この世にたやすい仕事はない

芸術選奨新人賞受賞

前職で燃え尽きたわたしが見た、心震わすニッチでマニアックな仕事たち。すべての働く人の今を励ます、笑えて泣けるお仕事小説。

梨木香歩著

家守綺譚

百年少し前、亡き友の古い家に住む作家の日常にこぼれ出る豊穣な気配……天地の精や植物と作家をめぐる、不思議に懐かしい29章。

佐藤多佳子著

サマータイム

友情、って呼ぶにはためらいがある。だから、眩しくて大切な、あの夏。広一くんとぼくと佳奈。セカイを知り始める一瞬を映した四篇。

山田詠美著

ぼくは勉強ができない

勉強よりも、もっと素敵で大切なことがあると思うんだ。退屈な大人になんてなりたくない。17歳の秀美くんが元気溌剌な高校生小説。

すいかの匂《にお》い

新潮文庫　え−10−6

平成十二年七月一日 発行
令和六年十月五日 二十一刷

著者 江《え》國《くに》香《か》織《おり》

発行者 佐藤隆信

発行所 株式会社 新潮社

郵便番号 一六二−八七一一
東京都新宿区矢来町七一
電話 編集部(〇三)三二六六−五四四〇
読者係(〇三)三二六六−五一一一
https://www.shinchosha.co.jp

価格はカバーに表示してあります。

乱丁・落丁本は、ご面倒ですが小社読者係宛ご送付ください。送料小社負担にてお取替えいたします。

印刷・大日本印刷株式会社　製本・加藤製本株式会社

ISBN978-4-10-133916-0 C0193